D0336387

Jan Wietsma

Ondernemer! Regel zelf uw krediet

KLUWER, 2011

Samenstellers en uitgever zijn zich volledig bewust van hun taak een zo betrouwbaar mogelijke uitgave te verzorgen. Niettemin kunnen zij geen aansprakelijkheid aanvaarden voor onjuistheden die eventueel in deze uitgave voorkomen.

ISBN 978 90 13 08952 3
ISBN 978 90 13 08964 6 (E-book)
NUR 826-607

© 2011, Kluwer, Deventer

Het complete productaanbod vindt u in de online Kluwershop: www.kluwershop.nl

Inhoudsopgave

Inleiding

Als er een woord is dat voor de nodige emotie en commotie zorgt in het Midden- en Kleinbedrijf, dan is dat wel het woord kredietverstrekking. Ondernemers vinden dat banken veel te terughoudend zijn en de mogelijkheden om te ondernemen dwarsbomen. Bankiers vertonen in de ogen van deze ondernemers risicomijdend gedrag. Daarentegen vinden bankiers dat ondernemers veel te gemakkelijk krediet vragen en geen oog hebben voor de risico's die met ondernemen samenhangen. Ondernemers zijn in de ogen van de bankiers nogal eens opportunistisch. Er lijkt sprake te zijn van een kloof tussen onder- nemer en bankier als het aankomt op kredietverstrekking en die kloof lijkt sinds de kredietcrisis alleen maar groter te worden. Toch hebben ondernemers en bankiers een gemeenschappelijk belang als het om kredietverstrekking gaat. Beiden willen namelijk erg graag dat de onderneming in staat is en blijft om aan haar verplichtingen te voldoen. Met andere woorden, men wil graag het risico op faillissement zo laag mogelijk houden. Alleen benaderen ondernemers de beperking van dit risico veelal vanuit gevoel en gebruiken banken hiervoor harde statistische informatie. Dat leidt in de communicatie tussen ondernemer en bankier al snel tot de nodige spraakverwarring. Men begrijpt elkaars taal niet, waardoor kredietverstrekking niet of tegen ongunstige voorwaarden plaatsvindt.

Daar komt nog bij dat de kredietverstrekking voor de ondernemer vaak een sluitstuk is in de plannen die hij heeft uitgewerkt. Terwijl kredietverstrekking voor de bank meestal het startpunt is bij het beoordelen van de plannen van de ondernemer. Met als gevolg dat de ondernemer het idee heeft dat de bank alles nog eens dunnetjes over gaat doen. De bank daarentegen vraagt zich af waarom de ondernemer niet eerder in contact is getreden. Er is dus sprake van verschil in tijdbeleving.

Dat ondernemers in het MKB het moeilijk hebben om krediet te krijgen is ook de overheid niet ontgaan. De afgelopen jaren heeft het ministerie van Econo- mische Zaken een groot aantal regelingen ontwikkeld die bijdragen aan het op gang krijgen en houden van kredietverstrekking aan ondernemers.

Toch blijft het een feit dat een groot deel van de ondernemers in het MKB de gevraagde financiering niet of slechts gedeeltelijk krijgt.

Dit boekje helpt u als ondernemer om zelf uw krediet te regelen. We leggen uit hoe u zelf het succes op een positieve beslissing op uw kredietaanvraag bij de bank kunt beïnvloeden. Daarnaast gaan we in op de afwegingen die een bank maakt als zij een kredietaanvraag van u beoordeelt. We geven aan hoe u, wanneer u eenmaal krediet heeft gekregen, nog steeds kunt werken aan verbetering van uw kredietvoorwaarden.

Daarnaast kunnen bankiers dit boekje goed gebruiken in gesprek met de ondernemer. Doordat het kredietproces helder wordt uitgelegd, kan de bankier de ondernemer beter uitleggen waar de mogelijkheden liggen om een krediet-aanvraag succesvol te laten verlopen.

Mijn persoonlijke wens is dat dit boekje bijdraagt aan het vergroten van het inzicht rondom kredietverstrekking, waardoor het aantal positieve beslissingen op een kredietaanvraag stijgt. Daar hebben ondernemers en bankiers en uiteindelijk ook de Nederlandse economie het meeste baat bij.

Een speciaal woord van dank ben ik verschuldigd aan Age Douma (oud-directeur Rabobank), Remko Dur (mede-initiatiefnemer Bank Natural), Elwin Groeneveldt (Qredits), Frieda Rikkers (promovendus Credit Risk Modelling), Dinand Maas, (ministerie van Economische Zaken, Landbouw en Innovatie) voor hun in-houdelijke en kritische opmerkingen.

Zwolle, voorjaar 2011
Jan Wietsma

Bezoek de website: www.ondernemerregelzelfuwkrediet.nl voor meer informa-tie en actuele ontwikkelingen met betrekking tot kredietverstrekking.

1 Zelf uw krediet regelen bij de bank

In dit hoofdstuk leggen we uit hoe u zelf uw krediet kunt regelen bij de bank. U leest aan welke zaken u in ieder geval aandacht moet besteden, waardoor u de kans op een succesvolle beslissing vergroot. Daarnaast ontvangt u de nodige tips die bijdragen aan een welwillende beoordeling van uw plannen door de bankier of een andere financier.

Om een kredietaanvraag succesvol te laten verlopen, is het in ieder geval van belang dat u aandacht besteedt aan de volgende drie zaken:
- breng uw persoonlijke en ondernemersvaardigheden in kaart;
- geef inzicht in de realisatie van uw commerciële prestaties;
- onderbouw uw financiële gegevens.

Breng uw persoonlijke en ondernemersvaardigheden in kaart

Of u wel of niet een succesvolle ondernemer bent, hangt in hoge mate af van het inzicht dat u heeft in uw eigen ondernemersvaardigheden. Natuurlijk vindt iedere ondernemer dat hij een goede ondernemer is. Onderzoeken wijzen echter uit dat er een groot verschil is in persoonlijke ondernemersvaardigheden tussen ondernemers die wel succesvol zijn en ondernemers die niet succesvol zijn. Daarbij blijkt dat het wel of niet hebben van zelfkennis een belangrijke succesfactor is. Uit meerdere onderzoeken blijkt dat ondernemers die over voldoende zelfkennis beschikken nu eenmaal minder gauw in de problemen komen.

Door zelfkennis heeft u een goed inzicht in uw eigen sterke en zwakke punten. U kunt daardoor ook goed inschatten of u wel of geen hulp nodig heeft bij het nemen van bepaalde (ondernemers)beslissingen. Zelfkennis zorgt ervoor dat u tijdig aan de bel trekt als er iets mis gaat. Dat zelfkennis een belangrijke ondernemersvaardigheid is, blijkt wel uit het volgende voorbeeld.

Jan de Vries is vijf jaar geleden als ondernemer gestart. Hij heeft in die tijd een succesvolle handelsonderneming in de ICT opgezet, waar nu zo'n 50 man werkzaam is. Jan is een echte pionier, dat weet hij, en pioniers zijn nu eenmaal niet zo goed in het opzetten en naleven van procedures, iets dat voor het succes van de onderneming wel erg belangrijk is. Jan heeft dan ook besloten een stapje terug te doen en personen met andere managementkwaliteiten te vragen zijn onderneming te leiden. Als aandeelhouder blijft Jan wel betrokken bij het bedrijf, hij gaat zich richten op nieuwe markten, met de dagelijkse gang van zaken bemoeit hij zich niet meer. Als het bedrijf van Jan een kredietaanvraag indient voor het opzetten van een buitenlandse vestiging, reageert de bank positief op het besluit dat Jan zich inmiddels niet meer bemoeit met de dagelijkse gang van zaken. Met andere woorden: de zelfkennis van Jan draagt er mede aan bij dat de onderneming kan blijven groeien doordat Jan bereid is een stapje terug te doen.

Naast zelfkennis is het ook belangrijk dat u inzicht heeft in de dagelijkse omstandigheden waarin u verkeert. Welke verplichtingen heeft u ten aanzien van uw partner, uw (eventuele) kinderen, uw ouders en derden, zoals vrienden, etc? Dit bepaalt namelijk in grote mate de tijd die u heeft om daadwerkelijk met ondernemen bezig te zijn. Ook hier een voorbeeld om een en ander duidelijk te maken.

Pietersen heeft een nieuwe opdrachtgever gekregen, waardoor hij de kans heeft om zijn omzet met 30% te laten stijgen. Om aan de wensen van de nieuwe opdrachtgever te kunnen voldoen, moet Pietersen een nieuwe machine aanschaffen. Daarvoor dient hij een kredietaanvraag in. Uit gesprekken die de bank met Pietersen heeft, blijkt dat hij verwacht dat het plan voor uitbreiding succesvol kan zijn, mede omdat hij als ondernemer 60 uur per week gaat werken. Tegelijkertijd blijkt Pietersen met zijn partner afgesproken te hebben dat ze samen een aantal zorgtaken zullen uitvoeren. De bank wil graag van Pietersen weten hoe hij een en ander denkt te combineren. Het is voor de kans op slagen van de kredietaanvraag voor Pietersen van belang dat hij hier zelf over nagedacht heeft en met een reactie komt die realistisch is.

Daarnaast wil de bank natuurlijk graag weten in hoeverre u zich inzet en moreel ook verplicht voelt om het krediet dat de bank aan u verstrekt heeft terug te betalen. Met andere woorden: wat gaat u doen als het slecht gaat met uw onderneming? Vindt u dat u dan een probleem heeft, vindt u dat de bank een probleem heeft of vindt u dat u beiden een probleem heeft? Maar nog belangrijker is dat de bank graag wil weten of u uw verantwoordelijkheid ook neemt om de 'schade te beperken'. Of dat u van mening bent dat vooral anderen verantwoordelijk zijn als u uw ondernemingsdoelstellingen niet bereikt. Populair gezegd: komt u uw bed nog uit als er problemen zijn of trekt u de dekens over uw hoofd en gedraagt u zich als een struisvogel wanneer u in de problemen komt?

Wellicht dat u het logisch vindt dat iedere ondernemer zich maximaal zal inspannen om mee te werken aan het terugbetalen van zijn krediet. De praktijk is helaas anders. Dat komt vooral doordat ondernemers gewone mensen zijn die zich in stressvolle omstandigheden – en dat zijn omstandigheden waarin terugbetalen moeilijk is – totaal anders gedragen dan in normale omstandigheden.

Daarnaast wil de bank natuurlijk graag weten of u het krediet dat zij u ter beschikking stelt niet voor andere (privé)doeleinden gaat gebruiken.

U helpt uzelf en de bank als u meer inzicht geeft in uw persoonlijke vaardigheden, uw sterke kanten en de afbreukrisico's die er zijn en de wijze waarop u denkt deze risico's beheersbaar te maken en te houden. Geeft u ook nog aan op welke wijze u ervoor zorgt dat u als ondernemer scherp blijft, dan vergroot u zelf de kans op een positieve kredietbeslissing door de bank. Met andere woorden: geef inzicht in uw persoonlijke balans.

Er zijn diverse testen in omloop waardoor u snel inzicht krijgt in uw eigen ondernemersvaardigheden en hoe u reageert op stressvolle gebeurtenissen. Voeg een samenvatting van deze test toe aan uw ondernemingsplan c.q. kredietaanvraag.

Activa				Passiva		
Vaste activa		Levensverwachting	8	**Eigen vermogen**	Eigenwaarde	55
	(3)	Karakter / Waarden	8		Herwaardering	2
	(3)	Talenten	8		*Totaal eigen vermogen*	57
		Aanleg	3			
		Totaal vaste activa	27	**Voorzieningen**	Inzicht	3
					Zorg voor later	2
Vlottende activa	(1)	Opvoeding	10		Overlevingsdrang	2
		Normen	3		*Totaal voorzieningen*	7
	(5)	Opleiding	6			
		Totaal vlottende activa	19	**Lang vreemd vermogen**	Hoop	2
					Geloof	6
Voorraad	(4)	Sociaal culturele ervaring	7		Loyaliteit	1
		Sportervaring	3		*Totaal lang vreemd vermogen*	9
		Werkervaring	8			
		Levenservaring	7			
		Totaal voorraad	25	**Kort vreemd vermogen**	Zorg(plicht) voor kinderen	2
					Zorg(plicht) voor ouders	2
Liquide middelen		Drive	3		Zorg(plicht) voor milieu	2
		Durf / lef	3		*Totaal kort vreemd vermogen*	6
		Wilskracht	2			
		Totaal liquide middelen	8			
Balans totaal			79	**Balans totaal**		79

Dilemmawaarde: 28%   Investeringswaarde: 10%

Voorbeeld van een uitkomst van een ondernemerstest die gebruikt kan worden bij de onderbouwing van de kredietaanvraag. Deze test geeft inzicht in de mate waarin u in staat bent om de ondernemerskwaliteiten die u bezit te realiseren. Bron: Dilemmamanager.

13

Geef inzicht in de realisatie van uw commerciële prestaties

Naast het inzicht in uw persoonlijke ondernemersvaardigheden is het ook uitermate belangrijk dat u inzicht geeft in de realisatie van uw commerciële prestaties. In de praktijk blijken ondernemers daar vaak te weinig inzicht in te geven. Een groot aantal kredietaanvragen wordt daarom afgewezen. Daarnaast blijkt dat veel ondernemers nogal opportunistisch handelen, waardoor onzeker is of u de uzelf opgelegde doelstellingen wel gaat bereiken. Daarnaast kunnen ondernemers vaak slecht onderbouwen waarom hun dienst of product een gat in de markt is en dat raakt meteen de bestaansvoorwaarde van hun bedrijf. Daarom is het belangrijk dat u in uw kredietaanvraag onder het kopje 'commerciële prestaties' minimaal aandacht aan de volgende zaken geeft:

– maak duidelijk waarom uw product of dienst kansrijk is;
– waarom u nooit zomaar kunt beginnen;
– waarom verslaat u de concurrent?;
– hoe verkoopt u uw product of dienst?

Maak duidelijk waarom uw product of dienst kansrijk is

Als u een kredietaanvraag indient, wil de bank graag weten waarom u vindt dat uw product kansrijk is. Daarbij gaat de bank niet af op uw blauwe ogen, maar zij wil graag dat u (enig) marktonderzoek overlegt waaruit dit blijkt. De bank wil weten welk gat in de markt u opvult en waarom consumenten of partijen in de business-to-businessketen (B2B) uw product gaan gebruiken of uw diensten gaan afnemen. Dat banken hier zo fel op zijn heeft alles te maken met de omstandigheid dat er voor 80% van de nieuwe diensten en producten geen business case is. Anders gezegd: het idee is wel goed, maar er zijn veel te weinig consumenten en bedrijven te vinden die het product of de dienst tegen een acceptabele prijs willen afnemen.

> Karel Vindingrijk heeft een nieuw idee. Uit gesprekken met ouders weet hij dat kinderen nogal eens hun broodtrommel of drinkbeker kwijt zijn als ze op school overblijven. Dus bedenkt Karel de broodtrommel en drinkbeker waarop de naam van het kind kan worden geplakt. De ouders die Karel spreekt zijn erg enthousiast en Karel denkt dan ook een gat in de markt gevonden te hebben. Hij bestelt 5000 broodtrommels en drinkbekers en biedt die via scholen en internet te koop aan. Uiteindelijk blijft Karel met 4500

onverkochte producten zitten. Analyse achteraf leert dat ouders de producten te duur vonden en dat de meeste van hun kinderen al een broodtrommel en drinkbeker hadden. Met een vooraf uitgevoerd marktonderzoek had Karel deze flop kunnen voorkomen.

Het is natuurlijk vanzelfsprekend dat de ondernemer zelf in zijn idee, dienst of product gelooft. Tegelijkertijd is de bank in veel gevallen uitermate sceptisch; reden waarom veel kredietaanvragen worden afgewezen. U helpt uzelf en de bank als u door betrouwbaar marktonderzoek kunt aantonen dat uw product of dienst zeker een kans verdient.

Het uitvoeren van marktonderzoek kan op diverse manieren. U kunt zelf mensen en potentiële afnemers benaderen en vragen wat zij van uw dienst of product vinden. U kunt ook aan studenten van het hoger of middelbaar beroepsonderwijs vragen een marktonderzoek uit te voeren in het kader van een studieopdracht. Op deze wijze krijgt u tegen relatief lage kosten een schat aan informatie waarmee u uw ondernemingsplan of kredietaanvraag kunt onderbouwen. Tot slot heeft u natuurlijk de mogelijkheid om een professioneel bureau te vragen een marktonderzoek uit te voeren. Dit laatste is vooral aan te bevelen als met de introductie van een nieuw product of dienst forse financiële risico's worden aangegaan. Op www.allesovermarktonderzoek.nl vindt u meer informatie over de wijze waarop u marktonderzoeken kunt (laten) uitvoeren.

Waarom u nooit zomaar kunt beginnen?

Natuurlijk zou u als u een gat in de markt ziet het liefst meteen beginnen. Maar het spreekwoord 'een goed begin is het halve werk' is hier ook van toepassing. Besef dat banken niet graag worden geconfronteerd met ondernemers die alvast begonnen zijn en denken dat de bank het financieringsvraagstuk nog wel even oplost. Mocht de bank daar alsnog toe genegen zijn, dan moet u er als ondernemer wel rekening mee houden dat de bank u door middel van diverse opslagen veel meer kosten in rekening brengt dan wanneer u van tevoren met de bank was gaan overleggen. Ook hier geldt dat de bank uit statistische informatie afleidt dat ondernemers die zonder een goed onderbouwd plan starten, nu eenmaal een grotere faalkans hebben dan ondernemers die wel met een goed onderbouwd plan zijn gestart.

Waarom verslaat u de concurrent?

Waar de bank ook uitermate geïnteresseerd in is, is uw antwoord op de vraag: Waarom denkt u het beter te doen dan de concurrent? Of: Waarom denkt u dat u een stuk van het marktaandeel van uw concurrent kunt afsnoepen? Mocht u een volledig nieuw product op de markt brengen, dan is natuurlijk de vraag: Hoe denkt u dat u een voorsprong kunt houden op de concurrent? In dit geval wil de bank vooral weten hoe het met uw innovatiekracht staat. Onderschatting van de concurrentie is een groot afbreukrisico. U helpt uzelf wanneer u in kaart brengt welke concurrenten u heeft. Bedenk daarbij dat concurrenten soms uit onverwachte hoek op kunnen staan. U moet ook niet onderschatten dat concurrenten door hun omvang soms een behoorlijke slagkracht kunnen hebben. Hierdoor kunt u na een aanvankelijk voorspoedige startperiode worden geconfronteerd met een concurrent die dezelfde kwaliteit tegen lagere prijzen kan leveren. Kortom, besef dat u voor het behouden van een relatieve voorsprong op uw concurrenten hard moet werken. Een uurtje 'googelen' leert al snel dat u niet de enige of de eerste bent met een nieuwe dienst of nieuw product.

Wanneer u uw plan indient, moet u antwoord geven op vragen als:
* waarom u denkt in een overvolle winkelstraat toch nog een kledingshop te kunnen starten?;
* waarom u bij afnemend horecabezoek brood ziet in het opzetten van een nieuw restaurant?;
* waarom u bij 100% overcapaciteit in de drukkerijwereld gelooft dat investeren in een nieuwe machine nog zin heeft?;
* waarom u een reisbureau start, terwijl een groot deel van de boekingen via internet wordt afgehandeld?;
* waarom u een nieuw pand voor uw timmerfabriek neer wilt zetten, terwijl outsourcen de trend is?;
* waarom u wilt investeren in een nieuwe vrachtwagen voor internationaal transport, bij toenemende concurrentie en prijsdruk door een toevloed van vrachtwagens uit Europese landen?

Deze lijst kan natuurlijk met nog meer voorbeelden worden uitgebreid. Als ondernemer weet u zelf het beste welke ontwikkelingen er in uw branche spelen en wat de kansen en bedreigingen zijn. Als u aangeeft op welke wijze u hier als ondernemer mee omgaat, dan geeft dat niet alleen uzelf meer zekerheid maar ook de bank. De bank krijgt hiermee bevestigd dat ondernemerschap voor u een serieuze aangelegenheid is.

Hoe verkoopt u uw product of dienst?

Een niet onbelangrijke vraag is natuurlijk ook hoe u denkt uw product of dienst aan de man te brengen? Met andere woorden: hoe bereikt u de potentiële koper en hoe krijgt u deze zo ver dat hij ook een transactie met u aangaat? Hoe ziet uw marketing- en verkoopstrategie eruit en welke kosten gaan daarmee gepaard? In veel gevallen gaat de kost nu eenmaal voor de baat uit, dus u zult er meestal niet aan ontkomen om kosten te maken om mensen te bewegen een bezoek te brengen aan uw website of fysieke locatie, of kosten te maken om mensen te bezoeken. Daarnaast wil de bank natuurlijk graag weten op welke wijze u acties op touw gaat zetten als de verkopen tegenvallen. Ook hier geldt dat u de slagingskans van uw plannen vergroot als u van begin af aan uw marketing- en verkoopproces goed managet. Ondernemers die goed beslagen ten ijs komen, kennen een veel hoger slagingspercentage dan ondernemers die de methode hanteren van 'kieken wat 't wordt'.

Johan Rugzak heeft gelezen dat de interesse voor buitenactiviteiten fors toeneemt. In zijn woonplaats is nog geen buitensportzaak en Johan ziet dan ook een gat in de markt. Hij opent een winkel met een aantrekkelijk assortiment. Hij laat bij iedereen in zijn woonplaats een folder bezorgen met daarin een aantal aantrekkelijke aanbiedingen, ook adverteert hij in het plaatselijke weekblad. De eerste paar weken zit de loop er goed in, maar dan komt de klad erin. Johan weet niet goed hoe het komt, nadere analyse leert dat veel van zijn plaatsgenoten inmiddels gewend zijn om hun producten via internet te bestellen. Johan heeft bij de opzet van zijn onderneming in het geheel niet aan deze verkoop- en informatiemogelijkheden gedacht. Gelukkig beseft Johan bijtijds dat hij ook op internet actief moet worden en hij laat dan ook een webshop ontwikkelen, daarnaast publiceert hij allerlei nieuwtjes en feitjes op zijn website en start hij met een nieuwsbrief. Na een jaar wordt 20% van de omzet via de webshop gerealiseerd. Door een goede inventarisatie van het marketing- en verkoopproces had Johan vooraf al geweten dat hij voor de verkoop van zijn producten niet om internet heen kon.

Onderbouw uw financiële gegevens

Heeft u uw persoonlijke ondernemersvaardigheden en uw commerciële slagkracht in kaart gebracht, dan kunt u aan de slag met het opmaken van het financiële plaatje, in casu de begroting of de prognose. Daarbij is het belangrijk dat u het financiële plaatje onderbouwt. De omzet en inkoopwaarde zal veelal onderbouwd worden door uw commerciële plannen. Let u er dan wel op dat de gegevens die u in het financiële plaatje opneemt, overeenstemmen met uw commerciële plannen. Met andere woorden: als u in uw commerciële plannen aangeeft dat u pas na een maand of drie na de start omzet verwacht, neemt u dan in het financiële plaatje niet al vanaf de eerste maand omzet op. De bank zal dit uitleggen als niet consistent en dat kan u geld kosten in de vorm van hogere opslagen op krediet.

Een ander aandachtspunt is de inschatting van de kosten die samenhangen met het in de lucht houden van de onderneming. Vaak worden deze kosten veel te laag ingeschat. Kortom, u mag bij het inschatten van de kosten best een beetje pessimistisch zijn; het valt in de praktijk nu eenmaal vaak tegen. Daarnaast vergeten ondernemers nog wel eens om bepaalde kosten mee te nemen.

Hierna treft u een lijstje aan van veel voorkomende kosten die met elkaar samenhangen en die nogal eens vergeten worden bij het opstellen van een financieel plaatje:

- huisvestingskosten zorgen ook voor lasten op het gebied van energie, onderhoud, schoonmaak, inboedel en opstalverzekeringen;
- verkoopkosten bestaan naast reclame ook uit representatiekosten, advertenties, etentjes en bezoek van beurzen en afboekingen dubieuze debiteuren;
- personeelskosten hebben naast lonen en salarissen ook betrekking op pensioen, opleiding en verzekeringen voor arbeidsongeschiktheid;
- autokosten bestaan niet alleen uit kosten voor onderhoud en benzine maar ook uit kosten voor wegenbelasting, verzekeringen, parkeer- en tolgelden;
- kantoorkosten hebben betrekking op kosten voor telefoon, internet, computer, kantoorbenodigdheden, porti, abonnementen en contributies;
- algemene kosten zijn onder te verdelen naar kosten voor het voeren van de administratie, verzekeringen (bedrijfsschade, aansprakelijkheid), adviezen en specifieke brancheheffingen.

Wat moet u weten van kasstromen?

Heeft u de kosten ook goed in kaart gebracht, dan kunt u aan de slag met het invullen van het financiële plaatje. Daarbij is het vooral van belang dat u aandacht heeft voor de kasstromen die door uw bedrijf gaan. Banken letten bij het beoordelen van uw plannen namelijk vooral op deze kasstromen. De kasstroom geeft aan in hoeverre uw onderneming in staat is om aan al haar verplichtingen te voldoen. Het kasstroomoverzicht geeft inzicht in het moment waarop u een bedrag daadwerkelijk ontvangt en of u een betaling daadwerkelijk dient te doen.

Een winst-en-verliesrekening daarentegen geeft weer wat het daadwerkelijke financiële resultaat is van al uw inspanningen in een bepaald jaar of in een bepaalde periode.

Hierna enige voorbeelden om uit te leggen waarom het kasstroomoverzicht zo belangrijk is

In veel gevallen staat u uw afnemers toe dat zij na een bepaald aantal dagen mogen betalen. Dit betekent dat u op het moment dat u de omzet boekt, de betaling nog niet binnen heeft. Pas als u de betaling van uw klant binnen heeft, kunt u met dat geld weer andere zaken betalen. In de betaling die u van uw klant ontvangt, is meestal ook een bedrag aan BTW begrepen. Aangezien u in de meeste gevallen slechts eenmaal in de drie maanden uw BTW-aangifte hoeft te doen en te betalen, betekent dit dat u het BTW-bedrag dat u ontvangen heeft nog enige tijd op uw rekening heeft staan. Maar het kan natuurlijk ook gebeuren dat een klant u zo laat betaalt, dat u zelf het bedrag aan BTW moet voorschieten. Daarnaast zijn er kosten die u maar een keer per jaar betaalt, zoals veel verzekeringen en contributies, of per kwartaal, zoals bijvoorbeeld wegenbelasting. Ook zult u met veel leveranciers afspreken dat u pas na een periode van 14 of 30 dagen hoeft te betalen. Door de daadwerkelijke momenten van de te verwachten betaling of uitgave op te nemen in het kasstroomoverzicht, krijgt u ook een goed inzicht in het bedrag dat u nodig heeft van de bank om uw bedrijf of organisatie te runnen. Dit wordt ook wel werkkapitaal genoemd.

In financiële cijfers vertaalt zich dit dan als volgt

In mei verkoopt u voor € 1000 (ex BTW) c.q. € 1190 (incl. BTW) aan goederen. U staat uw klant toe dat deze in juni betaalt. De goederen die u verkoopt, heeft u in april voor € 716 (ex BTW) c.q. € 852 (incl. BTW) gekocht en moet u volgens afspraak in mei betalen. Daarnaast moet u in juni een bedrag van € 250 aan verzekeringspremies betalen.

Uw kasstroomoverzicht voor deze transactie ziet er als volgt uit:

(bedragen in €)			
	Mei	Juni	Juli
Debiteurenontvangst		1190	
Betaling:			
Inkoop	852		
Verzekering		250	
Omzetbelasting betaling			54
Banksaldo einde maand	(–)852	(+)88	(+)34

Het kasstroomoverzicht leert u dus dat u in de maand mei € 852 aan kredietruimte bij de bank nodig heeft om op tijd aan uw verplichtingen te kunnen voldoen.

Nu is het voorbeeld dat hiervoor gegeven werd omwille van de duidelijkheid sterk vereenvoudigd. Maar er zijn diverse softwareprogramma's die u als ondernemer helpen bij het maken van een goed kasstroomoverzicht. In hoofdstuk 6 vindt u hiervan een overzicht.

Het verschil tussen een operationele en een investeringsbegroting

Behalve dat u behoefte heeft aan werkkapitaal om de dagelijkse activiteiten van uw onderneming te financieren, heeft u meestal ook geld nodig voor investeringen die noodzakelijk zijn voor de uitoefening van uw bedrijf. Denkt u hierbij aan investeringen in vervoermiddelen, machines, bedrijfsruimten etc. In dat geval doet u er goed aan om de begroting en het daarmee samenhangende kasstroomoverzicht op te splitsen. In de operationele begroting neemt u de wijze op, waarmee u de dagelijkse activiteiten van uw onderneming financiert. Dus in casu de omzet die u denkt te gaan halen en de kosten die daarmee samenhangen. In de investeringsbegroting neemt u op welke bedragen gemoeid zijn met het investeren in bedrijfsmiddelen en op welke wijze u deze wilt financieren. Het operationele kasstroomoverzicht geeft dan vervolgens aan welk bedrag u beschikbaar heeft voor aflossingen en rentebetalingen. Door een splitsing aan te brengen tussen uw kredietbehoefte op lange en korte termijn vergroot u het inzicht in de mogelijkheid van uw bedrijf om aan de betalingsverplichtingen te voldoen. De bank zal een positief beeld van uw ondernemerscapaciteiten krijgen wanneer u bij de indiening van uw kredietaanvraag zelf een splitsing aanbrengt tussen operationele en investeringskasstromen.

De balans voor en na kredietverstrekking

Een laatste punt dat aandacht verdient bij het indienen van uw kredietaanvraag is het opmaken van een balans voor en na kredietverstrekking. Doordat de bank een krediet aan u verstrekt, veranderen de balansverhoudingen. Hierdoor zakt de financiële weerbaarheid van uw onderneming mogelijk beneden acceptabele waarden.

Een belangrijk cijfer dat de financiële weerbaarheid van uw onderneming weergeeft, is de zogenaamde solvabiliteit. De solvabiliteit drukt uit hoeveel procent van het balanstotaal uit eigen vermogen bestaat.

Een voorbeeld ter verduidelijking.

Carlijn Trap is eigenaresse van een bedrijf dat trappen maakt. Vanwege toenemende vraag naar trappen besluit Carlijn te investeren in een nieuwe productiemachine. Het investeringsbedrag in deze nieuwe machine is € 50 000; deze investering moet volledig gefinancierd worden. Carlijn dient bij de bank een goed onderbouwd plan in waaruit blijkt dat de investering van € 50 000 commercieel en bedrijfseconomisch verantwoord is.

De verkorte balans voor investering van het bedrijf van Carlijn Trap ziet er als volgt uit:

Bedragen in €

Balans voor investering

Materiële vaste activa		Eigen vermogen	
Machines	30 000	Aandelenkapitaal	18 000
Overige inventaris	5 000	Overige reserves	22 000
Vlottende activa		Schulden op korte termijn	
Voorraden	25 000	Crediteuren	35 000
Debiteuren	40 000	Bank	25 000
Totaal	100 000	Totaal	100 000

De solvabiliteit kan berekend worden door:
Aandelenkapitaal + Overige Reserves te delen door het balanstotaal en dit te vermenigvuldigen met 100% ofwel 18 000 + 22 000/100 000 * 100% = 40%

Na kredietverstrekking ziet de balans er als volgt uit:

Bedragen in €				
Balans na kredietverstrekking				
Materiële vaste activa		Eigen vermogen		
Machines	80 000	Aandelenkapitaal		18 000
Overige inventaris	5 000	Overige reserves		22 000
		Schulden op lange termijn		
		Lening machine		50 000
Vlottende activa		Schulden op korte termijn		
Voorraden	25 000	Crediteuren		35 000
Debiteuren	40 000	Bank		25 000
Totaal	150 000	Totaal		150 000

De solvabiliteit bedraagt nu 18 000 + 22 000/150 000 * 100% = 26,67%

Met andere woorden: door het verstrekken van het krediet is de solvabiliteit van de onderneming van Carlijn behoorlijk verslechterd. Het is goed dat Carlijn dit zelf ook inziet en met de bank bespreekt wat zij een acceptabel solvabiliteitspercentage vinden.

Door het opnemen van een balans voor en na kredietverstrekking laat u zien wat de impact is van uw investeringsplannen en de wijze waarop deze gefinancierd worden. Veel ondernemers vergeten nogal eens deze twee balansen toe te voegen bij de kredietaanvraag. Door het toevoegen van beide balansen vergroot u uw onderhandelingspositie bij de bank.

Presenteer uw plannen op een overzichtelijke wijze

Als u alle benodigde gegevens voor een succesvolle kredietaanvraag heeft verzameld, is het van belang dat u een en ander ook nog op een begrijpelijke en overzichtelijke wijze presenteert. Wellicht dat u dat als lezer een open deur vindt, maar een groot deel van de kredietaanvragen wordt afgekeurd omdat ze slecht worden gepresenteerd.

Vermijd het aanleveren van 'invuloefeningen'

Ondernemers die op zoek gaan naar voorbeelden van ondernemersplannen belanden vaak op websites van banken, kredietbemiddelaars, brancheorganisaties en de Kamer van Koophandel. Op deze websites is inderdaad de nodige informatie te vinden over zaken waarmee u rekening moet houden als u een ondernemingsplan opstelt. Maar maakt u daarbij niet de fout om de vragenlijsten die op deze websites staan in te vullen en dit dan te presenteren als ondernemingsplan dat ter onderbouwing van uw kredietaanvraag dient. De meeste banken zullen uw kredietaanvraag meteen naar de prullenbak verwijzen. De reden is dat het plan niets vertelt over uw ambities, over de wijze waarop u uw plannen denkt waar te maken. Het plan vertelt niets over u. Natuurlijk zijn al die vragen- en checklijstjes wel handig, maar gaat u er ook zo mee om? Het zijn geheugensteuntjes voor u. De lijstjes zijn niet voor degene die uw kredietaanvraag moet beoordelen. Als het goed is, verkoopt uw kredietaanvraag zich vanzelf. Juist doordat u als ondernemer aan de belangrijke punten heeft gedacht die het verschil maken tussen succes en falen.

Waarom bankiers liever dunne dan dikke plannen lezen?

Bankiers krijgen wekelijks tientallen kredietaanvragen op hun bureau. Daarbij hebben ze slechts beperkt de tijd om uw plan te beoordelen. Het is daarom van groot belang dat u het plan, dat uw kredietaanvraag ondersteunt, kort en krachtig houdt. Als u veel papier nodig heeft om uw plan uit te leggen, dan is in veel gevallen uw plan nog niet rijp voor een kredietaanvraag. De kans dat een bankier zo'n plan dan terzijde legt is erg groot. De bankier gaat u ook niet helpen om uw plan beter te maken. Dat is zijn taak niet. U moet zelf een goed plan indienen waar ook de bankier na lezing in gelooft. Dat betekent dat u de bankier mee moet nemen in het proces dat u als ondernemer al heeft doorgemaakt. Als het goed is, is de bankier na het lezen van het plan net zo enthousiast als u. Zo niet, geeft u dan niet meteen de bankier de schuld, maar kijk nog eens kritisch naar uw eigen plannen en schaaf ze daar waar nodig bij. Sowieso is het verstandig om uw plannen door meerdere personen te laten lezen voordat u uw kredietaanvraag bij de bank indient. Neem de kritiek van deze personen ter harte en verwerk deze ook in uw plannen. Wijst de bank uw plannen dan alsnog af, dan kunt u het altijd nog proberen bij een andere bank. In hoofdstuk 3 zullen we uitleggen dat de ene bank de andere niet is.

Tips om uw plan aantrekkelijker te maken

Tot slot nog enige tips om uw plan aantrekkelijker te maken.

Hanteer een juist taalgebruik

Zorg ervoor dat het plan dat uw kredietaanvraag ondersteunt plezierig leesbaar is. Dat betekent dat er geen storende taal- en stijlfouten meer in staan. Bent u zelf niet zo goed in de Nederlandse taal, vraag dan iemand uit uw omgeving die dat wel is, om nog eens kritisch door uw plan te lopen.

Laat een prototype zien van uw product of dienst

Het laten ontwikkelen van een prototype kan u enorm helpen bij het visualiseren van uw plannen. Het kan helpen om criticasters over de streep te trekken. Ook het maken van een videofilmpje over de mogelijkheden van uw dienst of product kan dienen ter ondersteuning van uw kredietaanvraag.

Xantippe Penvoerder heeft een nieuw idee om te gaan werken met secretaresses op afroep. Daarbij wil ze iedere secretaresse een eigen auto geven die voorzien is van opvallende kleuren en dito belettering. In samenspraak met een aantal leerlingen communicatie en marketing ontwikkelt ze een filmpje waarop een potentiële secretaresse in een gefotoshopte auto met de opvallende kleur en belettering langs diverse bedrijven gaat. Door dit filmpje bij haar kredietaanvraag te voegen, krijgt degene die de kredietaanvraag moet beoordelen direct een beter inzicht in het plan van Xantippe.

2 Kredietverstrekking na de financiële crisis

De financiële crisis is er volgens velen de oorzaak van dat banken steeds minder bereid zijn om krediet te verstrekken. Ten dele is dat beeld juist, maar ook vóór de financiële crisis hadden bankiers al met regels en toezicht te maken. Dit heeft grote invloed op het kredietverstrekkingsproces. De tijd dat de bankdirecteur zelfstandig kon beslissen over het al dan niet verstrekken van krediet is dan ook definitief voorbij. In dit hoofdstuk wordt stilgestaan bij de rol die banken spelen in het kredietproces en de positie van ondernemers hierin.

De rol van banken in het kredietverstrekkingsproces

De rol van banken in het kredietverstrekkingsproces is relatief simpel. De bank speelt een bemiddelende rol tussen degenen die (tijdelijk) geld over hebben en degenen die (tijdelijk) geld nodig hebben. De bank verdient geld doordat ze aan degene die geld nodig hebben een hogere rente vragen dan dat ze betalen aan degene die geld over heeft.

Daarnaast biedt de bank u allerlei diensten aan, zoals het mogelijk maken van betalingsverkeer inclusief een betaalrekening en betaalpassen. Ook hier vraagt de bank een vergoeding voor.

Voor u als ondernemer is het natuurlijk best handig dat er banken zijn, want het zelf iedere dag vereffenen van al uw betalingen en ontvangsten zou een kostbare aangelegenheid worden. Daarnaast zou het u als ondernemer ook heel wat tijd en energie kosten wanneer u er zelf voor moet zorgen dat uw gespaarde geld rendeert. Nog los van het feit dat u een probleem kunt hebben als u plotseling dat uitgeleende geld weer nodig heeft.

Met andere woorden: banken vervullen een zeer belangrijke rol in het draaiend houden van de economie. Daarbij mogen we aantekenen dat de wijze waarop de Nederlandse banken dit georganiseerd hebben, een van de meest efficiënte manieren ter wereld is.

Dat banken voorzichtig zijn bij het verstrekken van krediet is, vanuit het oogpunt van de spaarder, logisch. Als spaarder wilt u nu eenmaal graag dat het geld dat u aan de bank heeft toevertrouwd ook voor u beschikbaar blijft. Als spaarder wilt u niet dat de bank gaat 'stunten' met uw spaargeld. U herinnert zich vast nog wel de boze reacties van spaarders toen 'Icesave' en 'DSB' niet meer in staat waren om hun spaarders terug te betalen.[1]

Om te voorkomen dat banken lichtzinnig met kredietverstrekking omgaan, heeft de Nederlandse overheid in samenspraak met andere landen een groot aantal wetten en regels opgesteld voor het verstrekken van krediet. Basis voor deze wetten en regels zijn de zogenaamde Basel-akkoorden. Deze Basel-akkoorden worden in nauw overleg met de bankiers opgesteld. Voor u als ondernemer is vooral van belang dat de Basel-akkoorden regelen hoeveel eigen vermogen een bank aan dient te houden voor iedere euro die zij uitleent.

In de media leest of hoort u de term Basel 2 of Basel 3 met enige regelmaat vallen. Momenteel hebben banken met Basel 2-richtlijnen te maken en die zullen de komende jaren vervangen worden door zogenaamde Basel 3-richtlijnen. Voor Basel 2 hadden banken te maken met de Basel 1-akkoorden.

De Basel 1-richtlijnen golden van 1988 tot 2006. Basel 1 bepaalde populair gezegd dat een bank voor iedere euro die zij uitleende aan een ondernemer zelf 8 cent aan eigen vermogen moest aanhouden. Ofwel, van iedere euro die werd uitgeleend moest de bank zelf 8% aan eigen vermogen aanhouden.

De Basel 2-richtlijnen die sinds 2006 gelden, bepalen dat het percentage dat banken aan eigen vermogen moeten aanhouden afhankelijk is van het risicoprofiel van de onderneming waaraan zij geld uitlenen. Heeft een onderneming een hoog risicoprofiel, dan moet de bank meer geld aan eigen vermogen aanhouden dan wanneer een onderneming een laag risicoprofiel heeft.

De Basel 3-richtlijnen die de komende jaren worden ingevoerd betreffen vooral een verhoging van het percentage dat banken aan eigen vermogen aan moeten houden als zij krediet verstrekken aan ondernemers.

In hoofdstuk 3 wordt uitgelegd wat dit voor u als ondernemer betekent als u een kredietaanvraag indient.

Om er voor te zorgen dat banken zich ook aan al die wetten en regels houden die zijn opgesteld heeft de Nederlandse overheid zogenaamde toezichthouders aangesteld, te weten De Nederlandsche Bank (DNB) en de Autoriteit Financiële Markten (AFM).

---

[1]   Vanzelfsprekend speelt de geld- en kapitaalmarkt ook een grote rol in de kredietverstrekking. In het kader van dit boekje wordt daar verder geen aandacht aan besteed.

DNB let daarbij vooral op of de bank niet te veel geld uitleent zonder dat de eigen vermogenspositie van de bank in gevaar komt. De AFM let vooral op of de bank niet te veel geld uitleent aan haar klanten. Daarbij richt zij zich vooral op kredietverstrekking aan consumenten; denk aan hypotheken en persoonlijke leningen. Bij kredietverstrekking aan ondernemers is de invloed van de AFM veel geringer.[2]

Het toezicht dat de DNB en AFM uitoefenen is zeer intensief en banken worden daar dagelijks mee geconfronteerd.

Gevolg van al die wet- en regelgeving is wel dat kredietverstrekking binnen banken omgeven is met een groot aantal procedures waar u als ondernemer misschien weleens moe van wordt. Tegelijkertijd is het goed om te beseffen dat de bankier daardoor misschien wel anders wil, maar niet anders kan.

De positie van ondernemers

U zult begrijpen dat al die wet- en regelgeving ook de nodige gevolgen heeft voor uw relatie als ondernemer met de bankier. Hierna wordt ingegaan op de praktische gevolgen die al deze regels hebben voor u als ondernemer.

Zorgplicht

Als het om kredietverstrekking gaat, hebben banken een zorgplicht. Dat houdt in dat banken erop moeten letten dat u begrijpt waar u als ondernemer mee bezig bent als u een krediet aanvraagt bij de bank. De bank moet onderzoeken of u begrijpt wat een lening is en wat de consequenties zijn als u de lening niet meer terug kunt betalen. Ook moet de bank onderzoeken of u na het verstrekken van een lening nog wel rustig slaapt. Misschien vindt u het als ondernemer allemaal wel wat ver gaan, maar het is wel wet- en regelgeving waar banken naar moeten handelen. Het inzichtelijk maken van uw persoonlijke ondernemers-vaardigheden (zie hoofdstuk 1) vergemakkelijkt het verantwoordingsproces van de bankier binnen de bank, die hij met betrekking tot de zorgplicht dient te maken.

Overkreditering

Een onderwerp waar de bankier eveneens aandacht aan dient te besteden is de zogenaamde overkreditering. De bankier is er verantwoordelijk voor dat hij u

---

2   Natuurlijk hebben de toezichthouders DNB en AFM nog veel meer taken toebedeeld gekregen. Zo ziet men er ook op toe dat er niet met voorkennis gehandeld wordt. Voor het begrijpen van het kredietverstrekkingsproces is dit echter minder van belang.

niet te veel krediet verstrekt waardoor u niet aan uw betalingsverplichtingen kunt voldoen. Sinds de kredietcrisis is dit een punt waar banken extra alert op zijn.

Voor u als ondernemer betekent dit dat banken inderdaad minder gemakkelijk krediet zullen verstrekken als ze twijfelen aan de haalbaarheid van de plannen die uw kredietaanvraag ondersteunen. Daar komt bij dat banken ook meewegen hoe bepaalde markten zich ontwikkelen. Voor u als ondernemer kan dat betekenen dat u ondanks uw goede plannen toch geen krediet krijgt, omdat de bank vindt dat ze al te veel risico loopt in een bepaalde markt en het niet verantwoord vindt u ook nog krediet te verstrekken. Let op: als een bepaalde bank u geen krediet verstrekt omdat men overkreditering vreest, dan kan een andere bank daar heel anders over denken.

Nieuwe ethische opvattingen

De wereld waarin u onderneemt verandert continu en dat geldt ook voor de opvattingen die mensen hebben. De laatste jaren is er veel meer aandacht gekomen voor onderwerpen als duurzaamheid, maatschappelijk verantwoord ondernemen, corruptie, mensenrechten en kinderarbeid. Veel banken hebben inmiddels richtlijnen opgesteld over de wijze waarop ze met deze vraagstukken omgaan. Voor u als ondernemer betekent dit dat de plannen die u indient de toets der kritiek moeten doorstaan als het om deze nieuwe ethische opvattingen gaat. Gebeurt dat niet, dan zal de bank uw plannen afwijzen. Ook al zijn ze nog zo winstgevend.

Groothandel in kleding

Johan Sok en Piet Koopman hebben het plan opgezet om een kledinggroothandel op te zetten. Ze laten kleding maken in Vietnam en importeren dit naar Nederland waar ze het verkopen aan diverse franchiseketens. Het ondernemingsplan dat ze hebben ingediend ziet er goed uit: Johan en Piet vullen elkaar als ondernemer goed aan. Uit marktonderzoek blijkt dat er behoefte is aan de modieuze kleding die in Vietnam wordt gemaakt en de financiële cijfers laten een gezonde bedrijfsvoering zien. De bankier die het plan beoordeelt besluit om bij een contact in Vietnam te informeren onder welke omstandigheden de kleding gemaakt wordt. Is er sprake van kinderarbeid of uitbuiting? De contactpersoon in Vietnam deelt vervolgens mee dat de kleding wordt gemaakt met behulp van kinderen die gemiddeld 12 uur per dag werkzaam zijn in een ruimte waar nauwelijks daglicht komt. Na deze informatie besluit de bank het krediet niet te verstrekken, tenzij Johan en Piet een andere producent zoeken. Johan en Piet zijn teleurgesteld in de reactie van de bank en dienen een nieuw verzoek in bij een andere bank. Na enige tijd horen ze dat ook deze bank om dezelfde reden geen interesse heeft in het financieren van dit bedrijfseconomisch gezonde plan.

De komende jaren zullen banken plannen die worden ingediend steeds vaker beoordelen op aspecten die te maken hebben met duurzaamheid en maatschappelijk verantwoord ondernemen. Houd hier rekening mee en besteed ook aandacht aan deze onderwerpen indien ze relevant zijn voor uw bedrijfsvoering.

De bankier als opsporingsambtenaar?

Tot slot nog aandacht voor een onderwerp waar u als ondernemer niet mee te maken wilt hebben: witwassen. Het is goed om te beseffen dat de banken op grond van de Wet ter voorkoming van Witwassen en Financieel Terrorisme altijd een cliëntenonderzoek dienen te doen. Dit om te voorkomen dat banken zaken gaan doen met personen die zich bezighouden met het witwassen van gelden. Dit zogenaamde Customer Due Diligence (CDD)proces betekent dat het altijd enige tijd duurt voordat u door een bank als klant wordt geaccepteerd. Wanneer u eenmaal cliënt bent bij de bank, dient de bank continu op te letten of u zich alsnog niet met activiteiten bezighoudt die mogelijk kunnen duiden op het witwassen van gelden. Als de bank vermoedt dat hier sprake van is, dan dient de bank hiervan melding te doen bij het Meldpunt ongebruikelijke transacties, officieel FIU-Nederland genaamd (www.fiu-nederland.nl). Ook wanneer het gaat om een voorgenomen transactie die (nog) niet wordt uitgevoerd. De bankier mag, volgens de wet, zijn cliënt *niet* van een dergelijke melding op de hoogte brengen. Sommige ondernemers vinden dat de bank hiermee op de stoel van de opsporingsambtenaar gaat zitten. Dat mag u natuurlijk ook vinden, maar het is goed om te beseffen dat de wet de bankier voorschrijft hier alert op te zijn. Aan de andere kant geldt natuurlijk het principe dat cliënten zonder twijfelachtige intenties niets te vrezen hebben.

3 Hoe werkt het kredietproces bij de bank?

Voor veel ondernemers, en wellicht ook voor u, is het kredietproces bij de bank een 'black box'. Men weet niet wat er bij de bank gebeurt als er een kredietaanvraag wordt ingediend. De criteria die gelden voor het al dan niet afwijzen van een kredietaanvraag zijn onduidelijk. Sommige ondernemers ervaren dat als volstrekte willekeur. Andere ondernemers zijn blij dat de kredietaanvraag gehonoreerd is, maar kunnen slecht aangeven wat de redenen voor toekenning zijn geweest. In dit hoofdstuk wordt uitgelegd hoe de bank omgaat met uw financieringsaanvraag. De bank kent een zogenaamde frontoffice, dat zijn de accountmanagers en relatiebeheerders die kredieten en leningen 'verkopen' en een backoffice, dat zijn de mensen die uw kredietwaardigheid beoordelen en bewaken. Vanwege de leesbaarheid van dit hoofdstuk wordt verder geen onderscheid gemaakt tussen frontoffice en backoffice.

Hoe beoordeelt de bank u als ondernemer?

In hoofdstuk 2 is al uitgelegd hoe u er zelf zorg voor kunt dragen dat de bank of een financier positief beslist op uw kredietaanvraag. Kort samengevat houdt dit in dat u bij het indienen van een kredietverzoek ten minste aan drie zaken aandacht dient te besteden:
– breng uw persoonlijke en ondernemersvaardigheden in kaart;
– geef inzicht in de realisatie van uw commerciële prestaties;
– onderbouw uw financiële gegevens.

Wel of geen accountmanager

Als uw kredietvoorstel binnenkomt bij de bank, vindt er meestal een eerste screening plaats. Daarbij is de omvang van het krediet een belangrijke indicator. De omvang van het krediet bepaalt namelijk of u te maken krijgt met een vaste accountmanager of dat uw kredietaanvraag behandeld wordt door iemand uit een team van kredietbehandelaars. In het laatste geval heeft u geen vast aanspreekpunt bij de bank. Het kredietbedrag waarbij u een vaste accountmanager krijgt, verschilt per bank en heeft vooral te maken met kostenoverwegingen. Een bank verdient nu eenmaal meer aan krediet van grotere omvang.

Daarnaast bepaalt de toekomstige groei van uw onderneming of u wel of niet een vaste accountmanager krijgt. Schat de bank in dat u met uw plannen wel eens heel succesvol zou kunnen worden, dan pleegt men graag een voorinvestering door u al bij voorbaat een vaste accountmanager toe te wijzen.

Als ondernemer wilt u natuurlijk graag weten bij welk kredietomvang u nu wel of niet een vaste accountmanager krijgt. Om commerciële redenen geven banken daar niet veel inzicht in, daarnaast zijn er ook regionaal grote verschillen in het toewijzen van een vaste accountmanager. Een belangrijke afweging heeft te maken met kosten. Voordat u uw kredietaanvraag indient kan het dus verstandig zijn om te informeren of u een vaste accountmanager toegewezen krijgt. Houd er wel rekening mee dat u bij nagenoeg alle banken onder de € 200 000 geen vaste accountantmanager krijgt. Vraagt u meer dan een € 1 000 000 krediet aan, dan zult u altijd een vaste accountmanager krijgen.

Beperkte tijd

Nadat bepaald is wie uw kredietaanvraag gaat behandelen, zal de bank eerst globaal uw plan doornemen. Ook hier geldt: hoe lager de gevraagde kredietsom, hoe minder tijd de bank neemt om uw plannen te beoordelen. Daarom is het belangrijk om in uw financieringsaanvraag voorin een samenvatting op te nemen waaruit blijkt wat de levensvatbaarheid van uw plannen is en waarom u de aangewezen persoon bent om die plannen te verwezenlijken. Veel plannen worden na een eerste globale lezing al afgewezen, omdat ze in de ogen van een bankier niet realistisch zijn. Maar het komt veel vaker voor dat plannen die worden ingediend onvolledig of slecht onderbouwd zijn en om die reden worden afgewezen. U vergroot dus uw kansen aanzienlijk als u een volledig en goed onderbouwd voorstel indient. (Zie hoofdstuk 1 voor de details.)

Een bank ontvangt honderden kredietverzoeken per maand. Al deze kredietverzoeken moeten gelezen en beoordeeld worden door medewerkers van de bank. Om zijn beschikbare tijd voor het afhandelen van een kredietaanvraag efficiënt en effectief te gebruiken, zal de bankmedewerker direct een zekere schifting maken om te besluiten of hij een kredietaanvraag wel of niet verder in behandeling neemt. Een bankmedewerker is ook maar een mens; hij zal dus ook kijken naar de wijze waarop het financieringsverzoek is vormgegeven. Een financieringsverzoek vol taalfouten leest niet prettig en zal sneller terzijde worden gelegd dan een vlot leesbaar verhaal. Als ondernemer kunt u besluiten niets aan het toeval over te laten door een ondernemingsplan van honderd bladzijden bij te voegen bij uw financieringsverzoek. Echter, de kans dat een bankier niet veel verder komt dan bladzijde vijf, waarna hij het plan verder ongelezen terzijde legt, is dan erg groot. Dosering van uw plannen is dus van belang. Dien een kort maar krachtig plan in, waarin u een en ander helder uitlegt. Maak daarbij de opmerking dat als de bank nog meer wil weten, u de nodige informatie voorhanden heeft.

De beoordeling van u als persoon

Als de bankmedewerker kennis heeft genomen van uw plannen, zal hij u eventueel verzoeken om extra informatie. Maar ook hier geldt: hoe lager de kredietomvang, hoe minder tijd de bankmedewerker heeft. Daarnaast zullen veel banken u toch nog wel in de 'ogen willen kijken' alvorens zij uw kredietaanvraag verder gaan behandelen. Wees niet verbaasd als de bank uw kredietaanvraag direct afhandelt en u, zonder dat u een bankmedewerker gezien of gesproken heeft, een uitspraak op uw financieringsverzoek krijgt in de vorm van een afwijzing of een voorstel.

Een belangrijke overweging voor de bank om wel of niet met u in zee te gaan heeft alles te maken met u als persoon. De bank zal, voordat zij uw kredietvoorstel verder in behandeling neemt, altijd bepalen of zij vanwege uw persoonlijke antecedenten en uw plannen wel zaken met u wil doen. De bank zal dus onderzoeken of u goed bekend staat, of u geen strafblad heeft, hoe het staat met uw betalingsmoraal en of u al eens in betalingsmoeilijkheden bent geweest waarvoor 'anderen' hebben opgedraaid. Hetzij door surseance, hetzij door faillissement. Daarnaast zal de bank uw zakelijke plannen toetsen aan het beleid dat de bank hanteert ten aanzien van bepaalde branches. Branches of bedrijven waar een groot risico aanwezig is dat er gelden worden witgewassen of die van overheidswege worden gedoogd (denk aan de coffeeshop) zullen in veel gevallen niet door de bank worden gefinancierd. Ook hier geldt: u doet er als ondernemer goed aan om vooraf aan de bank te vragen of er ook bepaalde branches zijn die men (liever) niet financiert.

Uw betalingsmoraliteit

Voor de bank is het dus erg belangrijk dat u als ondernemer een goede betalingsmoraliteit bezit. De bank vindt het namelijk erg belangrijk dat u zich tot het uiterste inspant om aan uw betalingsverplichtigen te voldoen en dat u niet wanneer het slecht gaat de bank of anderen op laat draaien voor uw betalingsproblemen. Ook wil de bank graag weten of u bij problemen uw kop in het zand steekt of dat u juist al dan niet in samenspraak met de bank actief op zoek gaat naar oplossingen om de problemen het hoofd te bieden. De praktijk leert de bank namelijk dat er een categorie ondernemers is die bij het ontstaan van problemen direct verwachten dat de bank wel zal bijspringen. Daarnaast is er een categorie ondernemers die eventuele problemen categorisch ontkennen en door blijven gaan alsof er niets aan de hand is. Tot slot is er nog een categorie ondernemers die vinden dat de bank zelf maar moet zien hoe ze het uitstaande krediet binnen moet krijgen als er problemen zijn. Het is dan kort gezegd hun verantwoordelijkheid niet meer. U zult begrijpen dat de bank liever geen klanten in haar bestand heeft die dit gedrag vertonen.

U vergroot de kans op een positieve beslissing van de bank als u inzicht geeft in de wijze waarop u omgaat met eventuele problemen en de hulp die u zoekt als zich problemen voordoen. Dit heeft namelijk alles te maken met zelfkennis. (Zie hoofdstuk 1 voor nadere toelichting.) De bank zoekt dus geen ondernemers zonder vlekje of risico, maar de bank wil wel dat ondernemers hun verantwoordelijkheid nemen als zich problemen voordoen. In veel gevallen zal de bank de grip op uw betalingsmoraliteit willen vergroten door van u als ondernemer een persoonlijke borg of waarborg te vragen.

De computer bepaalt de uitkomst

Als uw financieringaanvraag definitief in behandeling wordt genomen, dan voert een medewerker van de bank de gegevens die u heeft aangeleverd in het computersysteem van de bank in. Op basis van deze gegevens berekent het computersysteem uw rating (zie hierna). De uitkomst van deze rating bepaalt in de meeste gevallen of u wel of geen krediet krijgt en welke vergoeding u aan de bank dient te betalen en welke zekerheden u aan de bank dient te verstrekken. In voorkomende gevallen kan uw kredietaanvraag nog besproken worden in de kredietcommissie van de bank. Of uw kredietaanvraag wel of niet in de krediet-commissie wordt besproken, is afhankelijk van de normen die de bank hanteert. Deze normen verschillen per bank en zijn vaak afhankelijk van factoren als de omvang van het krediet, het risicoprofiel van u als ondernemer en de branche waarin u werkzaam bent.

De kredietcommissie bestaat meestal uit een directielid van de bank, het hoofd van de afdeling bedrijven, een kredietbeoordelaar en een of meerdere medewerkers werkzaam op de afdeling kredietverstrekking. Zij bespreken op basis van de door de accountma-nager aangeleverde extra informatie en de uitkomsten van de rating uw financierings-aanvraag. In voorkomende gevallen besluiten zij het gevraagde krediet al dan niet in zijn geheel toe te kennen. De tijd dat de bankdirecteur zelfstandig bevoegd was om over uw kredietaanvraag te beslissen is definitief voorbij.

Daarentegen geldt dat voor kredieten tot € 1 000 000 – dit bedrag is indicatief en kan bij sommige banken lager liggen – de computer grotendeels bepaalt of u als ondernemer wel of geen krediet krijgt (met een modern woord wordt dit ook wel program landing genoemd). De bankmedewerker heeft weinig invloed op de uiteindelijke beslissing van de computer. Wel heeft hij invloed op de gegevens die worden ingevoerd, daarom is het altijd goed om bij een eventuele afwijzing na te gaan of de gegevens die u bij de bank heeft aangeleverd wel juist zijn geïnterpreteerd.

Ondernemers in het MKB staan onvoldoende stil bij het feit dat de computer grotendeels op basis van de door ondernemer aangeleverde informatie de uitslag bepaalt van de toekenning van de kredietaanvraag. Zorg er daarom voor dat de informatie die u aan de bank aanlevert duidelijk en compleet is.

Hoe werkt de computer?

Als de computer zo'n belangrijke rol speelt in het wel of niet toekennen van krediet, dan wilt u als ondernemer natuurlijk weten hoe de computer nu bepaalt of u wel of geen krediet krijgt.

Een computer komt natuurlijk nooit zelfstandig tot beslissingen. Alle beslissingen die een computer voorstelt worden bepaald op basis van rekenregels die door mensen zijn ontwikkeld. Alleen zijn die rekenregels zo complex, dat het nagenoeg ondoenlijk is om die berekeningen met de hand te maken.

Basel

De uitgangspunten voor de rekenregels die gehanteerd worden bij het wel of niet toekennen of voortzetten van krediet worden bepaald in Basel. In Basel is het zogenaamde Basel-comité gevestigd. Dit Basel-comité is een groep van instanties die toezicht houden op het bankwezen in hun land; in Nederland is dit De Nederlandsche Bank. Deze groep, ook wel het Comité voor banktoezicht genoemd, streeft naar betere samenwerking tussen de toezichthouders en verbetering van het toezicht op de banken. In Nederland zijn alle banken verplicht om zich te houden aan de voorschriften van het Basel-comité. Deze voorschriften zijn ook opgenomen in Nederlandse wet- en regelgeving. De Nederlandsche Bank en de Autoriteit Financiële Markten houden toezicht op de wijze waarop de banken in Nederland deze regelgeving naleven.

Basel 1, 2 of 3. Als u de media een beetje volgt, dan zult u niet helemaal onbekend zijn met de term Basel in relatie tot banken. Wellicht dat u de afgelopen tijd zelfs krantenkoppen heeft gelezen als 'Basel 3 leidt tot duurder krediet' of 'Invoering Basel 3 uiterlijk in 2017'. Het klopt inderdaad dat er nieuwe afspraken zijn gemaakt waaraan banken zich moeten houden. De reden dat deze nieuwe afspraken gemaakt zijn, heeft alles te maken met de kredietcrisis. Deze nieuwe afspraken worden aangeduid als Basel 3 en de komende jaren zullen banken deze nieuwe regels moeten implementeren. Voor u als ondernemer kan dit inderdaad betekenen dat u met nieuwe of strengere voorwaarden te maken kunt krijgen als u een krediet aanvraagt. Momenteel heeft u als ondernemer nog altijd te maken met de afspraken uit Basel 2. Overigens gelden de Basel 2-voorschriften nog niet zo lang; tot het begin van deze eeuw werkten banken nog altijd met de voorschriften van Basel 1.

Kredietrisico
Op grond van de afspraken in het Basel-comité zijn banken verplicht om voor iedere ondernemer jaarlijks het kredietrisico te bepalen. Dit kredietrisico wordt vertaald in een zogenaamde rating. Een rating bepaalt hoe groot de kans is dat u het komende jaar gedurende drie aaneengesloten maanden niet aan uw verplichtingen kunt voldoen en welk verlies de bank lijdt als u definitief niet aan uw verplichtingen kunt voldoen. Deze rating wordt uitgedrukt in de volgende formule:

$$EL = PD * LGD * EAD$$

PD = de Probability of Default, ofwel: de kans op default. Hoe groot is de kans dat u als ondernemer binnen 90 dagen uw verplichtingen niet nakomt?

EAD = de Exposure at Default, ofwel: het verlies veroorzaakt door default. Dit is het totale bedrag dat de bank zou kunnen verliezen bij default.

LGD = de Loss Given Default, ofwel: het werkelijke verlies veroorzaakt door default. Dit wordt ook wel verliesratio genoemd en geeft het percentage weer van de exposure die verloren gaat bij default.

EL = Expected Loss, ofwel: het te verwachten verlies binnen een jaar bij het aangaan van een krediet.

De berekening van deze gegevens wordt zoveel mogelijk bepaald op basis van statistische gegevens. Met andere woorden: als uw financieringsaanvraag door de bank in behandeling wordt genomen en de bankmedewerker voert al uw gegevens in de computer in, dan berekent de computer op basis van een groot aantal – historische – gegevens uw rating. De uitkomst van de rating bepaalt vervolgens of u dus wel of geen krediet krijgt of tegen welke voorwaarden de kredietrelatie met u wordt voortgezet.

In het navolgende voorbeeld wordt de werking van deze formule op een eenvoudige wijze uitgelegd.

Stel, u heeft op 1 januari 2009 bij de bank een bedrag van € 200 000 geleend. U moet maandelijks € 2000 aflossen en het rentepercentage dat u aan de bank verschuldigd bent is 7%. Aan de bank heeft u een machine met een aanschafwaarde van € 250 000 als zekerheid gegeven.

Op 1 juli 2010 blijkt u niet meer in staat om aan uw aflossingsverplichtingen te voldoen, begin januari 2011 besluit u – al dan niet in goed overleg met de bank – uw ondernemingsactiviteiten te staken. De Probability of Default (PD) bepaalt hoe groot de kans is dat u vanaf 1 juli 2010 daadwerkelijk niet meer aan uw verplichtingen kunt voldoen.

Tot en met 1 juli 2010 heeft u in totaal 18 keer een bedrag van € 2000 afgelost, in totaal heeft u dus een bedrag van € 36 000 afgelost. Uw restschuld is dus € 164 000. Daarnaast heeft u vanaf 1 juli ook geen rente meer betaald over de restschuld, dus u bent de bank tot 1 januari 2011 een bedrag van € 5740 verschuldigd. (Vanwege het rekenvoorbeeld wordt hier met enkelvoudige interest gerekend.) Daarnaast mist de bank het komende jaar een bedrag van € 11 480 aan renteopbrengsten.

De Exposure at Default is dan als volgt te becijferen:

Nog niet afgelost:	€ 164 000
Rente periode 1 juli 2010-31 december 2010	– 5 740
Rente komend jaar	– 11 480
Totaal	€ 181 220

Nu heeft u aan de bank ook een machine met een aanschafwaarde van € 250 000 als zekerheid gegeven. De bank weet deze machine in nauwe samenwerking met u uiteindelijk te verkopen voor € 130 000. De Loss Given Default is in dit geval € 120 000, namelijk: € 250 000 – € 130 000 = € 120 000.

De Expected Loss voor de bank is in dit geval uiteindelijk € 181 220 – € 130 000 = € 51 220. Met andere woorden: de bank moet uiteindelijk een bedrag van € 51 220 definitief afboeken doordat u niet meer in staat bent om aan uw verplichtingen te voldoen.

Als u een kredietaanvraag indient bij de bank, dan maakt de computer dus voorgaande berekening. Alleen doet de computer dit op basis van rekenregels die gebaseerd zijn op statistische rating algoritmes.

Rating

Uw kredietrisico wordt dus vertaald in een zogenaamde rating, waarbij de bepaling van het risico op default een belangrijke rol speelt. Immers, hoe groter het risico op default, dat is de kans dat uw onderneming niet aan zijn verplichtingen kan voldoen, hoe lager de kans dat u krediet krijgt. Maar het risico op default bepaalt uiteindelijk ook welke vergoeding u aan de bank dient te betalen.

Het risico op default wordt bepaald door kwantitatieve en kwalitatieve factoren. In figuur 1 wordt schematisch weergegeven hoe deze informatie uiteindelijk tot een rating leidt.

Figuur 1. Hoe komt een rating tot stand – overzicht

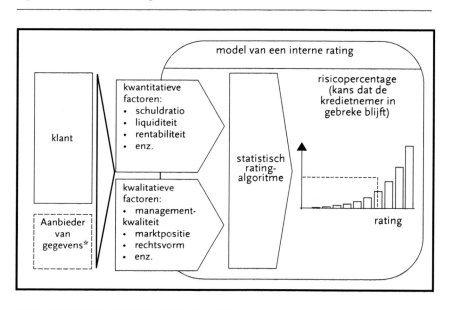

Bron: Hoe omgaan met nieuwe creditratings Europese Commissie 2007

Uit bovenstaande figuur blijkt dus duidelijk dat de informatie die u aanlevert grotendeels de uitkomst van uw rating bepaalt. Daarnaast kan de bank eventueel gebruikmaken van gegevens van andere aanbieders, zoals economische bureaus van een bedrijfstak, het Centraal Bureau voor de Statistiek.

In figuur 2 wordt uitgelegd welk aandeel de kwantitatieve gegevens hebben bij de bepaling van het risico op default en wat de belangrijkste prestatie-indicatoren zijn:

Figuur 2. Hoe komt een rating tot stand – kwantitatieve informatie

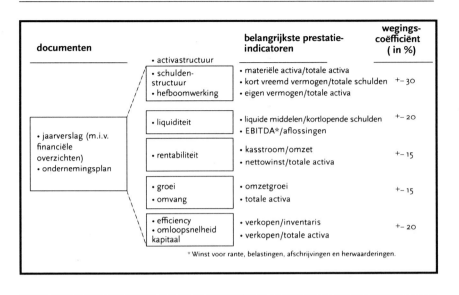

Bron: Hoe omgaan met nieuwe creditratings Europese Commissie 2007

Uit figuur 2 blijkt wel dat het erg belangrijk is dat de financiële overzichten die u inlevert bij de bank zorgvuldig zijn samengesteld. Hoe meer inzicht u de bank geeft in de opbouw van uw financiële overzichten, hoe nauwkeuriger de berekening voor de bepaling van het risico op default en de kredietvergoeding die u aan de bank dient te betalen. Uit figuur 2 kunt ook opmaken dat niet alle financiële kengetallen even zwaar meewegen. De activastructuur van uw onderneming is voor de bank een belangrijke aanwijzing of u in de toekomst wel of niet in de problemen komt. De wegingsfactoren in figuur 2 zijn indicatief. Iedere bank gebruikt weer eigen wegingsfactoren.

Naast kwantitatieve informatie bepaalt, zoals al eerder opgemerkt, zogenoemde kwalitatieve informatie het risico op default. In figuur 3 ziet u welke thema's worden meegenomen bij het beoordelen van deze kwalitatieve informatie.

Figuur 3. Hoe komt een rating tot stand – kwalitatieve informatie

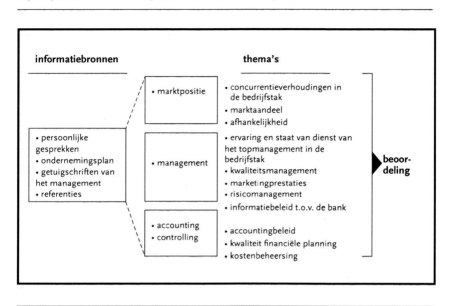

Bron: Hoe omgaan met nieuwe creditratings Europese Commissie 2007

Uit figuur 3 blijkt dus dat de bank ook niet-financiële informatie meeweegt bij de bepaling van het risico op default. Ook hier geldt dat het dus belangrijk is dat u deze gegevens volledig en goed onderbouwd aanlevert. Voor de wijze waarop u dat het beste kunt doen, verwijzen wij u graag naar hoofdstuk 1.

Wellicht dat u na het lezen van het voorgaande opmerkt dat de bank uw kredietaanvraag toch gehonoreerd heeft ondanks dat u niet compleet bent geweest in het aanleveren van de benodigde gegevens. Dat kan, alleen dient u dan wel te beseffen dat het risico op default veel hoger is ingeschat dan wanneer u alle informatie wel had aangeleverd en dat u naar alle waarschijnlijkheid ook een hogere kredietvergoeding dan noodzakelijk betaalt aan de bank. Uit statistische gegevens blijkt immers dat ondernemers die hun gegevens niet volledig aanleveren een hoger risico op default hebben dan ondernemers die dat wel doen. Ofwel, populair gezegd: ondernemers die onzorgvuldig zijn in hun informatiever-strekking aan de bank gaan eerder op de fles. U snijdt dus uiteindelijk uzelf in de vingers als u gegevens niet of onvolledig aanlevert.

Welke gegevens zijn het meest belangrijk?
Banken wegen niet alle gegevens even zwaar mee bij de bepaling van het risico op default. Uit onderzoek blijkt dat voor 75% van de banken de totale schuldenlast een belangrijke factor is bij het inschatten van het risico op default. Daarnaast vinden de meeste banken de ontwikkeling van liquiditeit en rentabiliteit even belangrijk.

De kwaliteit van het management of van u als ondernemer in persoon is voor de bank eveneens een belangrijke graadmeter om te bepalen of de onderneming aan wie zij krediet verleent het wel of niet redt. Daarnaast spelen marktpositie en rechtsvorm een belangrijke rol.

Iedere bank gebruikt zijn eigen ratingmodel
Hiervoor is uitgelegd van welke informatie de bank gebruikmaakt bij het bepalen van de rating van uw onderneming. U dient daarbij wel te bedenken dat iedere bank een ander ratingmodel hanteert, dit houdt in dat de ene bank op grond van haar statistische informatie tot heel andere uitkomsten kan komen dan een andere bank. Met andere woorden: het feit dat de ene bank uw kredietaanvraag niet honoreert, wil nog niet zeggen dat een andere bank ook tot deze conclusie komt. Hetzelfde geldt voor de huidige kredietvergoeding die u betaalt. Het kan best zo zijn dat u bij een andere bank een lagere vergoeding betaalt, omdat zij over andere statistische informatie beschikt dan uw bank. Het kan daarom absoluut geen kwaad om bij meerdere banken een (tussentijdse) offerte op te vragen.

Dat het lonend kan zijn voor u als ondernemer om bij een andere bank een offerte op te vragen heeft alles te maken met het feit dat iedere bank zijn eigen historische informatie opbouwt die leidt tot statistische informatie waarop het risico op default wordt bepaald. Een voorbeeld ter verduidelijking. Stel, u heeft een garagebedrijf. Bank A heeft het afgelopen jaar diverse faillissementen meegemaakt in uw branche. Bank B heeft geen enkel faillissement meegemaakt. Dit leidt er toe dat bij bank A het risico op default voor garagebedrijven hoger wordt ingeschat dan bij bank B die immers geen faillissement heeft meegemaakt. Met andere woorden: de kans dat u bij bank B krediet krijgt en/of betere voorwaarden dan bij bank A is zeer reëel. Natuurlijk kan het ook algemeen beleid zijn van de bank om (tijdelijk) bepaalde ondernemingen in bepaalde markten niet te financieren. Dit heeft alles te maken met het totale financiële risico dat men loopt in een bepaalde markt of bedrijfstak. Als bank B als beleid heeft dat men vanwege de economische situatie garagebedrijven niet wil financieren, dan is de kans groot dat u ondanks uw goed onderbouwde financieringsaanvraag toch geen krediet krijgt.

Ratingklassen

Hiervoor heeft u inzicht gekregen in de wijze waarop banken uw rating bepalen. Als er een rating voor u is berekend, dan wordt u door de bank in een bepaalde ratingklasse ingedeeld. Een ratingklasse kent een bepaalde bandbreedte waarin ondernemingen met een gelijk risico op default worden ingedeeld. De onderverdeling van de diverse ratingklassen verschilt per bank, daarnaast gebruikt iedere bank ook nog eens zijn eigen aanduiding voor een bepaalde ratingklasse. Hierdoor is het lastig om onderlinge vergelijkingen te maken tussen banken. De ratingklasse bepaalt echter wel in grote mate welke kredietvergoeding u aan de bank moet betalen, het kan dus zeker geen kwaad om bij meerdere banken een offerte op te vragen.

Wellicht heeft u in de krant wel eens gelezen over een Triple A rating. Bedrijven die in deze ratingklasse vallen, hebben een erg laag risico op default. Dat betekent ook dat deze bedrijven een veel lagere kredietvergoeding betalen dan bedrijven met een slechte rating. Bedrijven met een slechte rating hebben vaak een classificering met een cijfer C of D. Ratings worden vastgesteld door de bank zelf of door onafhankelijke ratingbureaus. De meest bekende ratingbureaus zijn Moody's, Standard & Poor en Fitch. Behalve banken maken ook kredietverzekeringsmaatschappijen, leasemaatschappijen, verstrekkers van creditcards en financieringsmaatschappijen gebruik van rating en ratingklassen. In onderstaande tabel treft u een voorbeeld aan van een ratingklassesysteem zoals een van de ratingbureaus die hanteert.

Op http://en.wikipedia.org/wiki/Bond_credit_rating treft u meer achtergrondinformatie aan over ratingklassen.

Rating	% kans op default
Aaa	0,001
Aa	0,01 − 0,06
A	0,10 − 0,30
Baa	0,46 − 1,31
Ba	2,31 − 5,38
B	7,62 − 13,22
Caa	17,86 − 36,43

Referentiegroepen

Omdat het continu beoordelen van de juiste indeling van bedrijven in een bepaalde ratingklasse een tijdrovende en kostbare aangelegenheid is, is het toegestaan dat banken gelijksoortige bedrijven qua kredietomvang indelen in dezelfde ratingklasse.

Stel, een bank heeft 300 ondernemers als klant die allemaal een kredietovereenkomst hebben ter grootte van € 50 000. Door de bank wordt voor deze groep ondernemers een gezamenlijke rating bepaald. Dat betekent dat de kans op default voor de totale groep wordt bepaald en niet op individuele basis. Zolang de individuele ondernemer voldoet aan de ratingcriteria van de betreffende groep zullen er voor hem geen ingrijpende veranderingen in de kredietvoorwaarden te verwachten zijn. Aan de andere kant geldt dat, wanneer er in de referentiegroep ontwikkelingen zijn die van grote invloed zijn op de kans op default, de individuele ondernemer toch te maken kan krijgen met aanscherping van de kredietvoorwaarden. Ook al is de individuele kans op default voor deze ondernemer niet toegenomen. Denk hierbij bijvoorbeeld aan de makelaarsbranche die te maken heeft met sterk dalende omzetten. Daarnaast kan het gebeuren dat ontwikkelingen in een branche ertoe leiden dat bijvoorbeeld de vergoedingensystematiek ingrijpend verandert waardoor oorspronkelijke gegevens geen goed houvast meer bieden voor het bepalen van een rating. Dit is bijvoorbeeld nu het geval bij assurantietussenpersonen.

Het is dus van belang om als ondernemer in het Midden- en Kleinbedrijf na te vragen wat de redenen zijn om bij een bepaalde groep ondernemers te worden ingedeeld.

Bank en ondernemer hebben hetzelfde belang

Banken hebben er alle belang bij dat uw bedrijf in de juiste ratingklasse wordt ingedeeld. Wellicht dat u dat als lezer wat vreemd in de oren klinkt. Immers, een ratingklasse met een hogere kans op default levert de banken toch een hogere kredietvergoeding op zou u kunnen denken. Dat is weliswaar zo, maar een ratingklasse bepaalt ook hoeveel geld de bank zelf aan eigen vermogen aan moet houden; hoe beter de ratingklasse, hoe meer geld de bank uit kan lenen. En dat levert de bank extra winst op, want geld dat niet kan worden uitgeleend, daar verdient de bank relatief weinig aan. Daarnaast levert het de bank concurrentievoordeel op, omdat ze meer geld heeft om uit te lenen. Met andere woorden: u als ondernemer en uw bank hebben hetzelfde belang, namelijk het zo laag mogelijk houden van het risico op default.

De samenhang tussen rating en de kredietvergoeding

Dat de kredietvergoeding die u aan de bank dient te betalen een stuk lager is als u een goede rating heeft blijkt ook uit de hierna volgende figuur 4.

Figuur 4. Opbouw van de prijs van een lening

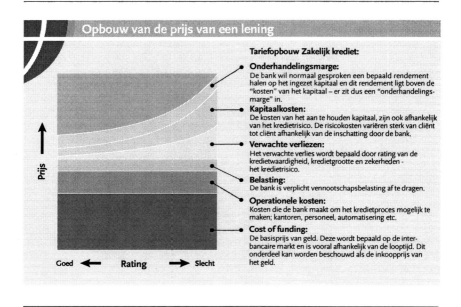

Bron: Hoe omgaan met nieuwe creditratings, Europese Commissie

Uit figuur 4 valt dus op te maken dat u als ondernemer bij een slechte rating een veel hogere opslag voor kapitaalkosten en verwachte verliezen moet vergoeden aan de bank dan wanneer u een goede rating heeft. De onderhandelingsmarge, dat is de winst die de bank maakt op uw krediet, is voor nagenoeg alle ratings gelijk.

Als ondernemer heeft u dus een behoorlijke invloed op de hoogte van de kredietvergoeding die u moet betalen aan de bank. Alleen zit die ruimte niet zozeer in de winstmarges die de bank maakt, maar in het feit dat u met een goede rating veel minder hoeft te betalen aan de bank, omdat de bank in uw geval tegen aantrekkelijke voorwaarden aan geld kan komen. Kortom, als u samen met de bank werkt aan verbetering van uw rating, snijdt het mes aan twee kanten. Daarnaast kunt u door het geven van zekerheden ervoor zorgdragen dat de hoogte van het verlies bij een definitieve afboeking van uw vordering in het geval u niet aan uw aflossingsverplichtingen kunt voldoen, beperkt blijft. Ook hier heeft u een zekere speelruimte in de onderhandelingen met de bank.

Hoe wordt mijn rentepercentage eigenlijk bepaald?

Het rentepercentage dat u aan de bank moet betalen is afhankelijk van een groot aantal factoren. Een van de factoren is uw rating en de zekerheden die u verstrekt aan de bank. Daarnaast moet de bank geld inkopen. Dat doet de bank in eerste instantie door gebruik te maken van spaargeld, daarnaast leent de bank geld op de kapitaalmarkt. Banken lenen elkaar ook onderling geld en als de nood aan de man komt, kunnen banken ook geld lenen bij de Europese Centrale Bank. De rente die de bank dient te vergoeden aan degenen die aan de bank geld lenen, zoals spaarders, bepaalt de inkooprente. Aan de hand van uw risicoprofiel en de termijn waarop u het geld wilt lenen wordt vervolgens berekend welk percentage u aan de bank dient te vergoeden.

Wat leveren zekerheden op?

Zekerheden die u aan de bank verstrekt zorgen ervoor dat de bank ingeval u niet aan uw aflossingsverplichtingen kunt voldoen mogelijkheden heeft om het verlies voor de bank zo veel mogelijk te beperken. Dit verlies wordt in de ratingformule aangeduid als Expected Loss. U kunt zekerheden verschaffen door het geven van een hypotheek op onroerend goed, het verpanden van bedrijfsmiddelen, goederen, vorderingen, aandelen of obligaties. Maar u kunt ook een kredietgarantie geven of een persoonlijke waarborg. Daarnaast is de overheid bereid om in een aantal gevallen borg te staan (zie hoofdstuk 5).

De praktijk leert dat de bank lang niet altijd de werkelijke waarde van datgene wat u als zekerheid heeft gegeven kan incasseren als u niet meer aan uw aflossingsverplichtingen kunt voldoen. Dat is de reden dat de banken aan zekerheden een lagere waarde toekennen dan u als ondernemer doet. In de tabel hierna treft u een voorbeeld aan met welke verwachte opbrengstwaarde banken rekenen als u zekerheden verschaft.

Soort onderpand	Verwachte opbrengstwaarde in %
Kasgeld	100
Uitstaande vorderingen	60 tot 95
Voorraden	10 tot 50
Inventaris	0 tot 80
Woonhuis	60 tot 80
Bedrijfsgebouwen	40 tot 70
Obligaties	70 tot 90
Aandelen	40 tot 70
Kredietgarantie	0 tot 100

Zoals u uit deze tabel kunt afleiden rekent de bank soms met een fors lagere opbrengstwaarde dan wanneer u zelf uw zaken af zou handelen. Veel banken vragen aan een ondernemer dan ook een persoonlijke waarborg om zo te bewerkstelligen dat de verwachte opbrengst uiteindelijk fors hoger uitpakt ingeval u als ondernemer niet aan uw aflossingsverplichtingen kunt voldoen.

Pechvogel is ondernemer en kan op enig moment niet meer aan zijn aflossingsverplichtingen voldoen. Aan de bank heeft hij onder andere zijn debiteurenvorderingen en zijn voorraden verpand. Pechvogel heeft geen persoonlijke waarborg afgegeven aan de bank. Hij is zwaar teleurgesteld in de bank en vindt het allemaal niet zo erg belangrijk meer wat de bank doet. Als de bank de vorderingen namens Pechvogel probeert te innen, begint een groot aantal debiteuren te klagen dat Pechvogel geen goed werk heeft geleverd, of dat er nog iets is toegezegd. De bank kan in veel gevallen niet nagaan wat waar is van de beweringen van de debiteuren en zal ter voorkoming van het maken van verdere kosten akkoord gaan met een lagere opbrengstwaarde. De opkoper die de bank benadert geeft eveneens aan weinig te willen betalen voor de voorraden van Pechvogel. Gevolg is dat de bank meer moet afboeken dan wanneer Pechvogel had meegewerkt met het binnenhalen van de vorderingen.

Meewerker kan ook niet meer aan zijn aflossingsverplichtingen voldoen, hij heeft ook zijn debiteurenvorderingen en zijn voorraden verpand, daarnaast heeft hij een persoonlijke waarborg afgegeven. Ook de debiteuren van Meewerker beginnen te klagen als de bank de vorderingen int. Maar in dit geval kan de bank een beroep doen op Meewerker, die aangeeft richting zijn debiteuren dat er netjes geleverd is en dat ze gewoon moeten betalen. Ook doet Meewerker zijn uiterste best om de nog aanwezige voorraden tegen een zo hoog mogelijke prijs verkocht te krijgen. Door het vragen van een persoonlijke waarborg heeft de bank geregeld dat Meewerker bij een goede afwikkeling van zijn vorderingen betrokken blijft.

Ondernemers deinzen nogal eens terug voor het geven van een persoonlijke waarborg. Maar tegelijkertijd is het geven van een persoonlijke waarborg ook een teken dat u zelf in uw ondernemingsplannen gelooft. Daarnaast dient u te bedenken dat – mocht u niet aan uw aflossingsverplichtingen kunnen voldoen en u werkt samen met de bank mee om het verlies zo veel mogelijk te beperken – de bank mogelijk ook coulant is bij het aanspreken op uw persoonlijke waarborg.

4 Houd als ondernemer uw krediet in de hand

Als u eenmaal een kredietovereenkomst met de bank heeft afgesloten, dringt zich misschien de gedachte op dat het allemaal niet zoveel zin meer heeft om verder aandacht te besteden aan uw financiering. Dat is een misvatting die breed leeft; kredietverstrekking is een continu proces. De bank is verplicht om ieder jaar opnieuw een rating voor uw bedrijf vast te stellen. Daarnaast kan onzorgvuldigheid in de omgang met uw krediet u veel geld kosten. Kortom, het is belangrijk dat u als ondernemer continu aandacht besteedt aan de wijze waarop uw onderneming is gefinancierd.

Hoe kunt u uw financieringslasten verlagen?

Als ondernemer heeft u meer mogelijkheden om uw financieringslasten te verlagen dan u denkt. Een van de zaken waar ondernemers in het MKB onzorgvuldig mee omgaan is het rekening-courantkrediet. Veel ondernemers realiseren zich onvoldoende dat iedere euro die van het rekening-courantkrediet gebruikt wordt ook geld kost. Ondernemers in het MKB zijn er vaak onvoldoende alert op dat een groot deel van de kredietkosten wordt veroorzaakt door de hoge stand van debiteuren en voorraden. Door het verkorten van de betalingstermijn van uw debiteuren en het vergroten van de omloopsnelheid van uw voorraden kunt u vaak al behoorlijk op uw financieringslasten besparen. Als u met deskundigen op het terrein van financiering spreekt, zoals bankiers en accountants, dan zullen zij hetgeen hiervoor beschreven is vaak aanduiden als het kort houden van de balans.

Onderstaande rekenvoorbeelden laten zien welk voordeel u heeft bij het kort houden van uw balans.

Rekenvoorbeeld 1a
Stel, u heeft een handelsonderneming. Uw debiteuren betalen u na 60 dagen. Uw crediteuren betaalt u na 45 dagen. De omzet inclusief omzetbelasting

bedraagt € 495 000, de inkoopwaarde van uw producten is € 250 000. De overige kosten bedragen ongeveer € 100 000. De waarde van uw inventaris, stellages, etc. is € 30 000. Het overeengekomen rentepercentage is 7,8%.

De vereenvoudigde balans van uw onderneming ziet er dan op 31 december ongeveer als volgt uit:

Debet	€	Credit	€
Inventaris	30 000	Eigen vermogen	50 000
Voorraden	62 500	Crediteuren	52 062
Debiteuren	82 500	Omzetbelasting	3 600
		Bank	69 338
Totaal	175 000	Totaal	175 000

U heeft als eigenaar van deze handelsonderneming € 69 338 aan bankkrediet nodig. Bij het overeengekomen rentepercentage van 7,8% zijn de jaarlijkse rentekosten € 5408.

Rekenvoorbeeld 1b
Na een aantal gesprekken met collega-ondernemers besluit u uw debiteuren sneller te bellen als de betalingstermijn is overschreden. Daarnaast maakt u werk van het verlagen van uw voorraden en tevens besluit u de crediteuren sneller te betalen. Na een paar maanden blijkt dat de debiteuren u gemiddeld na 40 dagen betalen, uw crediteuren betaalt u na gemiddeld 30 dagen en het gemiddeld aantal dagen dat de voorraad er ligt is teruggebracht naar 45 dagen.

De vereenvoudigde balans op per 31 december ziet er na de door u genomen acties als volgt uit:

Debet	€	Credit	€
Inventaris	30 000	Eigen vermogen	50 000
Voorraden	31 250	Crediteuren	34 708
Debiteuren	55 000	Omzetbelasting	3 600
		Bank	27 942
Totaal	116 250	Totaal	116 250

Door de acties die u heeft ondernomen, is het bankkrediet dat u nodig heeft gedaald tot € 27 942, uw rentelasten zijn hierdoor eveneens gedaald en u hoeft bij een rentepercentage van 7,8% nog maar € 2179 aan rente te betalen. U verdient dus jaarlijks een extra bedrag van € 3229 bij een gelijkblijvende omzet. In dit voorbeeld blijkt dus dat u als ondernemer veel geld kunt verdienen door actief aan de slag te gaan met het kort houden van uw balans. Het balanstotaal is namelijk met € 58 750 verkort van € 175 000 tot € 116 250.

Let op uw solvabiliteit

Een belangrijke factor bij het bepalen van uw kredietwaardigheid is de solvabiliteit van uw onderneming. In het algemeen geldt: hoe lager uw solvabiliteit, hoe slechter uw kredietwaardigheid. De hoogte van uw solvabiliteit heeft dan ook veel invloed op uw rating. Om die reden nemen banken vaak in overeenkomsten op dat een daling van de solvabiliteit leidt tot aanpassing van de kredietvoorwaarden. Dit kan door meer zekerheden te eisen van u als ondernemer, het kan ook door in de toekomst van u een hogere kredietvergoeding te vragen. Daarnaast zullen banken vaak opnemen dat ze bij een daling van de overeengekomen solvabiliteit een boeterente in rekening mogen brengen. Deze boeterente is een premie op het grotere risico op default dat de bank loopt. De bank is immers verplicht om bij een lagere solvabiliteit meer te reserveren dan bij een hogere solvabiliteit. Aan de andere kant geldt dat een verbetering van de solvabiliteit natuurlijk aanleiding kan zijn voor u om eens met de bank te gaan praten over de mogelijkheden om te komen tot betere kredietvoorwaarden.

Aan de hand van de balansen uit de vorige rekenvoorbeelden volgt nu een toelichting op het belang van het in de gaten houden van de solvabiliteit van uw onderneming.

Toen u de kredietovereenkomst afsloot met de bank, heeft u afgesproken dat de solvabiliteit ten minste 30% zal zijn. Als de solvabiliteit onder de 30% zakt, dan moet u, zo bent u met de bank overeengekomen, een eenmalige boeterente van € 500 betalen. Immers, de solvabiliteit van de door u gedreven handelsonderneming wordt in rekenvoorbeeld 1b als volgt berekend:

het eigen vermogen/het balanstotaal = € 50 000/€ 175 000 * 100% = 28,6%

Aangezien het percentage van 28,6% lager is dan de overeengekomen 30% bent u de overeengekomen boete verschuldigd.

Door de acties die u bij rekenvoorbeeld 1b heeft ondernomen, verbetert de solvabiliteit van uw onderneming. Deze neemt toe tot 43%, te weten:

€ 50 000 (eigen vermogen)/€ 116 250 (balanstotaal) * 100% = 43%.

49

Omdat u met de bank een solvabiliteit van 30% bent overeengekomen, heeft u mogelijk kans dat de bank u ook nog wil belonen voor het kort houden van uw balans door u een lagere rente aan te bieden. Stel dat de bank u in dit geval een rente van 7,4% aanbiedt, dan betaalt u in het vervolg € 2067 aan rente.

Voorgaande rekenvoorbeelden laten dus zien dat u als ondernemer daadwerkelijk geld kunt verdienen door actief aan de slag te gaan met het kort houden van uw balans.

Kies de juiste balansdatum

Zoals uitgelegd bepaalt de bank uw rating ieder jaar opnieuw op basis van de balans die u inlevert. Daarbij speelt de solvabiliteit een belangrijke rol. Om die reden kan het verstandig zijn uw boekjaar af te sluiten op een moment dat u weinig debiteuren, voorraden of crediteuren heeft. U heeft dan weliswaar te maken met een gebroken boekjaar, maar het staat u als ondernemer vrij om zelf uw boekjaar te kiezen.

Kerstpakket BV heeft eind december altijd te maken met een hoge debiteurenstand en bijhorend bankkrediet. Om die reden is het balanstotaal op 31 december ook hoger dan gemiddeld. Half februari van ieder jaar hebben nagenoeg alle debiteuren betaald en is er nauwelijks sprake van een schuld aan de bank. De balans is hierdoor ook korter geworden, waardoor de solvabiliteit flink verbeterd is. Voor Kerstpakket BV kan het in dit geval verstandiger zijn om het boekjaar van 1 maart tot 28 of 29 februari te laten lopen.

Let op debiteuren ouder dan 90 dagen

Een aspect dat ook door veel ondernemers wordt vergeten is de impact van debiteurenvorderingen ouder dan 90 dagen die op de balans voorkomen. Deze debiteurenvorderingen hebben op grond van de afspraken in het Basel 2-akkoord voor de bank geen waarde meer en tellen ook niet meer mee bij de bepaling van uw solvabiliteit. Daarbij is het goed om te beseffen dat de bank de totale vordering op een debiteur wegstreept uit de balans. Zelfs wanneer er slechts een relatief klein bedrag van de totale openstaande vordering ouder is dan 90 dagen.

Stel, u heeft op 31 december een vordering op een debiteur. De totale vordering op deze debiteur bedraagt € 25 000, een bedrag van € 1000 is ouder dan 90 dagen. In dit geval neemt de bank de totale vordering van € 25 000 niet mee bij het bepalen van de solvabiliteit van uw bedrijf.

Dat het wegstrepen van deze totale vordering een flinke impact kan hebben op de solvabiliteit van uw onderneming, blijkt wel uit het volgende rekenvoorbeeld.

In eerste instantie berekenen we de solvabiliteit voor uw bedrijf waarbij we ervan uitgaan dat alle debiteurenvorderingen jonger zijn dan 90 dagen. Een vereenvoudigde balans per 31 december zou er dan als volgt uit kunnen zien.

Debet	€	Credit	€
Inventaris	25 000	Eigen vermogen	50 000
Voorraden	50 000	Crediteuren	75 000
Debiteuren	100 000	Bank	50 000
Totaal	175 000	Totaal	175 000

De solvabiliteit die de bank in dit geval dan berekent, is:

eigen vermogen (€ 50 000)/het balanstotaal (€ 175 000) * 100% = 28,5%

Wanneer u met de bank was overeengekomen dat het eigen vermogen ten minste 25% dient te zijn, is er voor u als ondernemer niet veel aan de hand.

Omdat u echter een debiteur heeft waarvan een deel van de vordering ouder is dan 90 dagen, te weten € 1000, streept de bank de totale vordering van deze debiteur, zijnde € 25 000, weg uit uw balans.

Dat levert voor de bank dan de volgende balans per 31 december op van uw onderneming:

Debet		€	Credit	€
Inventaris		25 000	Eigen vermogen	25 000
Voorraden		50 000	Crediteuren	75 000
Debiteuren	(100 000 – 25 000)	75 000	Bank	50 000
Totaal		150 000	Totaal	150 000

De solvabiliteit die de bank nu berekent is:

eigen vermogen (€ 25 000)/het balanstotaal (€ 150 000) * 100% = 16,7%.

Dat percentage ligt ruim onder de 25% die de bank als solvabiliteitseis aan uw bedrijf had gesteld. Gevolg is dat u mogelijk een boeterente aan de bank zult moeten betalen. Daarnaast wordt u geconfronteerd met een slechtere rating.

Kortom, het is dus erg belangrijk dat u als ondernemer goed op de ouderdom van uw debiteuren let.

Vorderingen verkopen

Mocht u veel vorderingen hebben die ouder zijn dan 90 dagen, dan kunt u overwegen deze vorderingen te verkopen. Door het verkopen van de vordering ontvangt u tenminste nog iets en u voorkomt een nog slechtere solvabiliteit doordat de bank geen rekening houdt met vorderingen ouder dan 90 dagen.

Daarnaast kunt u natuurlijk besluiten om over te gaan tot factoring (zie hoofdstuk 5) of het afsluiten van een kredietverzekering.

Kredietverzekering

Door het afsluiten van een kredietverzekering waarborgt u betaling van uw vordering indien een debiteur in gebreke blijft. Om aanspraak te kunnen maken op een uitkering geldt vaak wel een aantal stringente voorwaarden. Zo vervalt de dekking als u na een betalingsachterstand van 45 of 60 dagen toch door blijft leveren. Daarnaast zult u voor nieuwe klanten die voor een fors bedrag bij u willen kopen eerst toestemming moeten hebben van de kredietverzekeraar. Aan de andere kant dient u zich te realiseren dat een kredietverzekering voor de bank wel een extra stuk zekerheid biedt waardoor de bank in staat is u meer krediet te verstrekken dan wanneer u geen verzekering had afgesloten. Aangezien kredietverzekeringen vaak niet goedkoop zijn, is het goed om een kosten/baten-analyse te maken voordat u een verzekering afsluit.

Debiteuren met een machtspositie

Nu zijn er de nodige ondernemers die te maken hebben met afnemers die een zekere machtspositie hebben waardoor u weinig invloed heeft op de betalingstermijn; denk aan overheden of beursgenoteerde ondernemingen. In veel gevallen hanteren deze afnemers een standaard betalingstermijn van 90 dagen of meer. Als u deze afnemers als klant heeft, kunt u met de bank overeenkomen dat de rating van deze grote afnemer meegewogen wordt bij de beoordeling van uw bedrijf. Voordeel voor u is dat u mogelijk aantrekkelijke kredietvoorwaarden aangeboden krijgt. Overigens kunt u de bank ook vragen gebruik te maken van de rating van een grote toeleverancier. Kortom, een debiteur die laat betaalt, maar toch goed bekend staat, kan u zeker geld opleveren bij het afsluiten van een financieringsovereenkomst.

Wellicht dat u zich afvraagt waarom de bank zelf niet met dit soort suggesties komt. Dat heeft alles te maken met het feit dat de bank vaak onvoldoende tijd heeft om kennis te nemen van de kwaliteit van uw debiteurenportefeuille. Het is dus verstandig om bij een kredietaanvraag of bij het continueren van krediet een lijst toe te voegen van uw grootste afnemers en toeleveranciers alsmede het bedrag waarvoor zij jaarlijks bij u afnemen of toeleveren.

Bespaar geld door tijdige aanlevering van informatie

Banken zijn voor de tussentijdse beoordeling van de kredietovereenkomst die zij met u hebben afgesloten erg afhankelijk van de informatie die zij alleen via u kunnen krijgen. Dat is de reden dat banken het erg op prijs stellen als u ze tijdig informeert als er wijzigingen hebben plaatsgevonden in bijvoorbeeld het managementteam, als een grote toeleverancier is afgehaakt of wanneer een debiteur aan wie u levert in betalingsproblemen verkeert. Daarbij hanteren banken op grond van Basel 2-regelgeving vaste termijnen waarbinnen bepaalde gegevens moeten worden aangeleverd. Dat banken zo streng zijn in het hanteren van termijnen heeft alles te maken met het feit dat banken uit ervaring weten dat ondernemers die in de problemen zitten vaak ook traag zijn met het doorgeven van informatie. Tegelijkertijd leert de praktijk dat ondernemers die niet of pas na herhaald aandringen informatie aanleveren bij de bank vaker niet aan hun aflossingsverplichtingen kunnen voldoen dan ondernemers die wel op tijd de gevraagde informatie aanleveren. Het niet tijdig of niet volledig aanleveren van gevraagde informatie leidt bijna altijd tot een slechtere rating. Met andere woorden: u gaat een hogere kredietvergoeding betalen dan wanneer u alle informatie netjes op tijd bij de bank zou hebben aangeleverd.

Informatie die u aan moet leveren en waarover vaak afspraken worden gemaakt in de kredietovereenkomst betreffen tijdige inlevering van de jaarrekening en/of de aangifte inkomstenbelasting, het aanleveren van tussentijdse cijfers alsmede het tijdig inleveren van pandlijsten.

Wanneer het u door bijzondere omstandigheden niet lukt om gevraagde informatie tijdig aan te leveren, neemt u dan contact op met de bank. De bankmedewerker kan dan eventueel een aantekening maken in het systeem, waardoor u voorkomt dat u mogelijk te maken krijgt met een slechtere rating. Door het zelf informeren van de bank laat u tevens zien dat u aan de knoppen zit en de zaak onder controle heeft. U weet immers wat er gaat gebeuren. Als u de bank pas achteraf informeert, zal de bank mogelijk gesterkt worden in haar overtuiging dat allerlei zaken u als ondernemer overkomen en dat u dus niet zelf aan de knoppen van uw bedrijf zit.

Meer kredietruimte gebruiken dan overeengekomen

In principe mag u niet meer kredietruimte gebruiken dan u overeengekomen bent met de bank. Banken zijn dan ook erg alert op zogenaamde overstanden. Bij het beoordelen van overstanden onderscheidt de bank twee situaties. Van de eerste situatie is sprake als u na het betalen van uw aflossings- en renteverplichting te maken krijgt met een overstandsituatie. Een voorbeeld ter verduidelijking. Stel, u bent met de bank overeengekomen dat uw rekening-courantkrediet € 15 000 bedraagt. Na het betalen van uw rente- en aflossingstermijn komt u in een keer voor € 17 500 rood te staan, een overstand van € 2500. Voor de bank is dit een signaal dat de kasstromen op termijn mogelijk onvoldoende zijn om aan de verplichtingen te kunnen blijven voldoen. Als deze situatie zich herhaaldelijk voordoet, dan zal de bank het risico op default hoger inschatten en dat betekent voor u een slechtere rating. Van de tweede situatie is sprake wanneer u als ondernemer gedurende een bepaalde periode regelmatig een overstand vertoont op het overeengekomen rekening-courantkrediet, zonder dat er een direct verband bestaat met de rente- en aflossingsverplichtingen. Ook hiervoor geldt dat u het risico loopt dat de bank het risico op default hoger in gaat schatten. Dit betekent een slechtere rating en in veel gevallen ook hogere kosten voor kredietvergoeding.

Nu kan het natuurlijk best een keer gebeuren dat u te maken krijgt met een overstand. Een debiteur betaalt later dan toegezegd of u heeft te maken gehad met onvoorziene uitgaven. Belt u in dat geval gewoon de bank op en leg de situatie uit. De bankmedewerker kan dan samen met u zoeken naar een oplossing en een aantekening maken in het systeem en aangeven hoe de overstand wordt opgelost. U voorkomt hiermee mogelijk dat u met een slechtere rating wordt geconfronteerd. Door zelf te bellen laat u zien dat u 'in control' bent.

Het niet informeren van de bank leidt in veel gevallen tot de nodige onzekerheid bij de bank. Zeker als er betalingen klaar staan voor salarissen of belastingen. De bankmedewerker moet dan op eigen initiatief besluiten of hij deze betalingen wel of niet door moet laten gaan. In veel gevallen zal de bankmedewerker wel contact met u opnemen, maar de bankmedewerker vindt het niet plezierig als hij in actie moet komen voor iets waarvoor u uiteindelijk verantwoordelijk bent. Kortom, zelf in actie komen voorkomt niet alleen een hoop ergernis bij de bank, maar levert ook voordeel op doordat u niet met een slechtere rating wordt geconfronteerd.

Als aflossen even niet lukt

Het kan natuurlijk ook gebeuren dat u niet in staat bent om aan uw aflossings-verplichtingen te voldoen doordat een grote debiteur failliet is gegaan of doordat de omzet als gevolg van marktomstandigheden stagneert. In dat geval kunt u met de bank overleggen over de mogelijkheden om de aflossing tijdelijk stop te zetten. Over het algemeen zijn banken bereid om hierin mee te denken, mits er maar wordt voldaan aan de renteverplichtingen.

Ook hier geldt dat transparantie richting de bank u veel narigheid kan besparen. Banken zoeken namelijk liever samen met u naar oplossingen dan dat men met voldongen feiten wordt geconfronteerd.

5 De bank kan niet alles financieren, wat nu?

Nu kan het natuurlijk best gebeuren dat u als ondernemer geconfronteerd wordt met een mededeling van de bank dat zij niet willen of kunnen financieren. Ook kan het voorkomen dat de bank niet al uw plannen wil of kan financieren. In dit hoofdstuk beschrijven we welke mogelijkheden er dan zijn om uw plannen te realiseren. Eerst staan we stil bij een aantal maatregelen waarmee de overheid u als ondernemer tegemoetkomt. Vervolgens bezien we op welke manier u er zelf voor kunt zorgen dat u alsnog alternatieven vindt voor uw financieringsvraagstuk.

Hoe de overheid u tegemoetkomt

De Nederlandse overheid heeft een groot aantal maatregelen genomen om u als ondernemer tegemoet te komen bij het vinden van alternatieven voor uw financieringsvraagstuk. Daarnaast biedt de overheid vaak aanvullende zekerheden in de vorm van borgstellingen, waardoor voor banken het uiteindelijke verlies (de zogenaamde Expected Loss) in geval van het uitblijven van aflossingsverplichtingen verminderd wordt. De borgstellingen van de overheid zorgen er dus niet voor dat het risico op default minder wordt. Hierna wordt een aantal regelingen kort toegelicht. Omdat de uitvoering van bepaalde regelingen aan veranderingen onderhevig is, adviseren wij u ook om altijd kennis te nemen van de meeste actuele informatie op Agentschap NL: www.agentschapnl.nl. Wilt u weten of u voldoet aan de MKB-toets van de overheid, vult u dan de test in op:
   http://nlinnovatie.nl/sites/agentschapnl.nl.innovatie/files/
12805_SN_MKB_Schema_03_tcm24-272041.pdf

Achtereenvolgens worden de volgende regelingen kort besproken:
* Borgstelling MKB-kredieten;
* Garantie Ondernemingsfinanciering;
* Groeifaciliteit;
* SEED Capital Technostarters;
* Innovatiekrediet.

Borgstelling MKB-kredieten

Algemeen

De Borgstelling MKB-kredieten (BMKB) is een faciliteit waar ondernemers met een tekort aan zekerheden een beroep op kunnen doen. Voorwaarde is wel dat er sprake moet zijn van levensvatbare bedrijven met voldoende continuïteitsperspectief. Met andere woorden: bedrijven in 'nood' kunnen geen aanspraak maken op de borgstelling.

De looptijd van de borgstelling is maximaal zes jaar, indien in een gebouw of schip wordt geïnvesteerd geldt een periode van maximaal twaalf jaar. De afsluitprovisie die de overheid berekent bedraagt ongeveer 3% van de borgstelling. Dit bedrag dient u bij afsluiting van de lening direct te betalen of te verrekenen. Als bijkomende voorwaarde geldt tevens dat u als ondernemer altijd een persoonlijke waarborg dient af te geven. Dit heeft alles te maken met het vergroten van het commitment van u als ondernemer. Het krediet waarover een borgstelling wordt gevraagd dient minimaal € 35 000 te bedragen.

Bestaande bedrijven

Van een bestaande onderneming is sprake als u langer dan vijf jaar ondernemer bent. De rechtsvorm waarin u dit doet, is niet van belang. De overheid staat in dit geval garant voor 45% van een bedrag tot maximaal € 3 000 000 dat niet door zekerheden is gedekt. In overleg met de bank kan besloten worden de aflossing van de lening twee keer op te schorten. Een opschorting mag maximaal vier aaneengesloten kwartalen duren.

> Een voorbeeld ter verduidelijking. Stel, u leent bij de bank een bedrag van € 600 000, maar voor een bedrag van € 280 000 kunt u geen zekerheden stellen. In dit geval staat de overheid voor maximaal 45% van € 280 000 garant. U komt met de bank overeen dat u dit deel van de lening in vijf jaar aflost. Na twee jaar blijkt u over onvoldoende kasstroom te beschikken om de lening af te lossen conform plan. U komt met de bank overeen dat u de aflossing voor drie kalenderkwartalen opschort. In het vierde jaar blijkt er opnieuw onvoldoende kasstroom te zijn om af te lossen. U komt nu met de bank overeen om de aflossing twee kalenderkwartalen op te schorten.

Starters

U wordt als starter beschouwd als u minder dan vijf jaar een onderneming heeft en minstens zes jaar voor het afsluiten van de kredietovereenkomst geen andere onderneming heeft gedreven. De borgstellingsregeling voor starters is toegankelijk voor eenmanszaken, VOF's en directeur-grootaandeelhouders van een BV.

De overheid staat voor leningen die afgesloten worden tot en met 31 december 2011 voor 80% garant bij een lening van maximaal € 250 000. Heeft u meer nodig, dan kunt u gebruikmaken van het borgstellingskrediet voor bestaande bedrijven. In overleg met de bank kan besloten worden de aflossing van de lening drie keer op te schorten. Een opschorting mag maximaal vier aaneengesloten kwartalen duren.

Innovatief BMKB

Heeft u een onderneming die een technisch nieuw product, proces of nieuwe dienst op de markt wil brengen, dan kunt u gebruikmaken van deze regeling. De basis is ook hier weer het BMKB, alleen staat de overheid nu voor maximaal 60% van een krediet van maximaal € 2 250 000 garant. De eerste drie jaren na het aangaan van de lening hoeft u niet af te lossen. De looptijd van de lening bedraagt maximaal twaalf jaar. In overleg met de bank kan besloten worden de aflossing van de lening twee keer op te schorten. Een opschorting mag maximaal vier aaneengesloten kwartalen duren.

Bodemsanering

Wordt u als ondernemer geconfronteerd met een bodemsanering en is het saneringsplan opgesteld door een ingenieur en goedgekeurd door Gedeputeerde Staten, dan staat de overheid bij een lening van maximaal € 1 000 000 voor 90% garant. De looptijd van de lening bedraagt maximaal achttien jaar. In overleg met de bank kan besloten worden de aflossing van de lening twee keer op te schorten. Een opschorting mag maximaal vier aaneengesloten kwartalen duren.

Om gebruik te maken van de BMKB doorloopt u de normale kredietprocedure binnen de bank. Als de bank in overleg met u besluit de BMKB aan te vragen, dan doet de bank een melding aan Agentschap NL. Mocht u in default raken, dan verlaagt de bank uw deel van de schuld met het bedrag waarvoor de overheid garant staat. Dit bedrag krijgt de bank vervolgens uitgekeerd van de overheid. Agentschap NL controleert achteraf of de bank op basis van de juiste voorwaarden een krediet aan u heeft toegekend. Dit houdt in dat eventuele misslagen van de bank – ingeval dat u een BMKB heeft afgesloten – niet aan u doorbelast kunnen worden maar ten laste van de bank komen.

De BMKB is niet toegankelijk voor:

- vrije beroepers in de medische sector, zij vallen onder de Wet Tarieven Gezondheidszorg;

- toetreders tot de markt die in belangrijke mate door de overheid wordt bepaald (denk aan advocaten, notarissen, gerechtsdeurwaarders en dierenartsen);
- een onderneming waarvan de laatste of de te verwachten jaaromzet voor meer dan 50% is verkregen uit de beoefening van:
  - de land- en tuinbouw, de vee- of visteelt, de visserij of de teelt van vee- en visvoer;
  - het bank-, verzekerings- of beleggingsbedrijf of het financieren van één of meer andere ondernemingen;
  - de verwerving, vervreemding, de ontwikkeling, het beheer of de exploitatie van onroerend goed.

Garantie Ondernemingsfinanciering

De Garantie Ondernemingsfinanciering (GO) geldt tot en met 31 december 2011. Het is een regeling voor bedrijven die een kredietbehoefte hebben van minimaal € 1,5 miljoen en maximaal € 150 miljoen. De GO wordt gegeven voor nieuwe bankleningen, al dan niet achtergesteld, waarbij het niet uitmaakt of deze door zekerheden worden gedekt en bedraagt 50% van het leningsbedrag. De bank besluit zelfstandig of zij wel of geen gebruik wil maken van de GO. Na aanmelding van de GO dient de bank te wachten op een akkoord van Agentschap NL. De maximale looptijd van de garantie bedraagt acht jaar. Als ondernemer heeft u geen invloed op het besluit van de bank om al dan niet een beroep te doen op de Groeifaciliteit.

Groeifaciliteit

De Groeifaciliteit is een aanvulling op het borgstellingskrediet en is bedoeld voor bedrijven die nieuwe activiteiten willen ontplooien. De Groeifaciliteit kan zodoende ook worden gebruikt voor de financiering van een bedrijfsovername. De overheid staat bij de groeifaciliteit voor 50% borg bij een achtergestelde lening of aandelenkapitaal van maximaal € 5 000 000 indien deze lening door de bank wordt verstrekt. Wordt de lening of het aandelenkapitaal door een participatiemaatschappij verstrekt, dan staat de overheid voor 50% van maximaal € 25 000 000 borg. De aflossing van de lening dient in maximaal 12 jaar plaats te vinden. Het verzoek tot borgstelling wordt door de bank of participatiemaatschappij ingediend bij Agentschap NL, die – indien het voorstel aan gebruikelijke financieringseisen voldoet – fiatteert.

SEED-faciliteit
De SEED-faciliteit heeft als doel investeringen te bevorderen in risicovolle ondernemingen in een vroege levensfase. De SEED-faciliteit wordt verstrekt aan participatiefondsen. Het leningbedrag dat wordt verstrekt aan het participatiefonds bedraagt maximaal € 4 000 000 en dient primair om het rendement te verhogen en het risico van de participatie te verlagen. Besluit u als ondernemer een beroep te doen op een participatiefonds, dan kan het participatiefonds vervolgens besluiten gebruik te maken van de SEED-faciliteit.

Innovatiekrediet
Het innovatiekrediet is bedoeld voor ondernemers die actief zijn met risicovolle innovaties in Nederland. Het bedrag dat met de innovatie gemoeid gaat, dient minimaal € 300 000 te bedragen. De overheid staat voor maximaal 35% van de totale projectkosten tot een maximum van € 5 000 000 garant. Indien het project mislukt, hoeft u het deel van kosten waarvoor de overheid garant stond niet terug te betalen. Lukt de innovatie wel, dan dient u het bedrag dat de overheid u heeft geleend terug te betalen. Het terugbetaalschema wordt in overleg met u en Agenschap NL vastgesteld. De rente op de lening wordt tussentijds bijgeschreven.

Starter
Bent u starter, dan zijn er naast de BMKB en de SEED-regeling nog de volgende financieringsregelingen om gebruik van te maken:
• Subsidieprogramma KennisExploitatie;
• Impuls KennisExploitatie Creatieve Starters.

Van deze regelingen kunt u gebruikmaken om uw bedrijf goed te beginnen. U kunt steun krijgen op het gebied van kennis, kennisbescherming, octrooien, apparatuur, faciliteiten, netwerken, begeleiding en financiering. Voor meer informatie over deze regelingen kunt u de website www.technopartner.nl raadplegen.

Tante Agaath
Kent u een particulier die u geld wilt lenen, dan kan deze particuliere geldgever mogelijk gebruikmaken van belangrijke fiscale voordelen door gebruik te maken van de zogenaamde Tante Agaath-regeling. Meer informatie over deze regeling vindt u op www.belastingdienst.nl.

Uw kredietbehoefte is maximaal € 35 000

Wanneer uw kredietbehoefte niet meer bedraagt dan € 35 000, dan kunt u gebruikmaken van de mogelijkheden van microfinanciering. Microfinanciering in Nederland wordt uitgevoerd door Qredits. Doet u een aanvraag bij Qredits, dan krijgt u advies voordat u de financiering aanvraagt en wordt u gecoacht nadat u de financiering heeft gekregen. Microfinanciering is toegankelijk voor startende en bestaande ondernemers met een haalbaar ondernemersplan en aantoonbare ondernemerskwaliteiten.

Werkwijze
Als u gebruik wilt maken van de mogelijkheden van microfinanciering, dan dient u hiervoor een aanvraag in bij Qredits. Na een korte intake, waarin de volledigheid van het ondernemersplan wordt getoetst, zal een bedrijfsadviseur van Qredits vervolgens een bezoek bij u thuis brengen of op de bedrijfslocatie waar u gevestigd bent. De bedrijfsadviseur zal samen met u het ondernemingsplan doornemen en eventueel tips geven om een en ander nog verder te verfijnen. Indien uw ondernemersplan haalbaar is en u tevens voldoende ondernemer bent, wordt de door u gevraagde lening – tot maximaal € 35 000 – in één keer aan u overgemaakt. De looptijd van de lening bedraagt minimaal één jaar en maximaal tien jaar. Gedurende de looptijd van de lening wordt gerekend met een vast rentepercentage. De afsluitprovisie die u betaalt ligt tussen de € 250 en € 450. U lost lineair af, waarbij tussentijds boetevrij aflossen is toegestaan. Is de lening afgesloten, dan krijgt u tegen een kleine vergoeding de beschikking over een coach die is aangesloten bij het coachingsnetwerk van Qredits. De rente en aflossing wordt maandelijks geïncasseerd. Blijft u in gebreke, dan wordt er direct telefonisch contact met u gezocht, zonodig gevolgd door een bezoek met als doel u zo snel mogelijk weer in het gareel te krijgen als het gaat om het nakomen van rente- en aflossingsverplichtingen. De doorlooptijd van de aanvraagprocedure bij Qredits bedraagt gemiddeld genomen drie weken. Overigens leert de praktijk dat de toetsing van de haalbaarheid van het ondernemingsplan vrij streng is. U dient zich dus goed voor te bereiden voor u een aanvraag indient.

Qredits is een initiatief van ABN-Amro, Rabo en ING en het ministerie van Economische Zaken, Landbouw en Innovatie. De formele naam is Stichting Microkrediet Nederland. De statutaire doelstelling luidt: verstrekking van bedrijfskredieten tot € 35 000, aan startende en bestaande ondernemers die door het reguliere bankkanaal onvoldoende worden bediend.

Welke alternatieven zijn er?

Mocht u als ondernemer te horen krijgen van de bank dat deze niet, of niet het hele bedrag dat u gevraagd heeft, wil financieren, dan heeft u nog een aantal mogelijkheden om uw financieringsvraagstuk op te lossen. Achtereenvolgens behandelen we de volgende mogelijkheden:

- factoring;
- leasing;
- leverancierskrediet;
- mezzaninefinanciering;
- crowdfunding.

Factoring

Bij factoring besteedt u het beheer van uw debiteurenportefeuille uit aan een extern bedrijf, de factormaatschappij. De factormaatschappij zorgt voor de afhandeling van uw debiteuren. Deze afhandeling bestaat altijd uit de incasso van de debiteuren, maar sommige factormaatschappijen verzorgen ook de facturering. Op het moment dat de factuur verzonden wordt, ontvangt u het verkoopbedrag (onder aftrek van de factorvergoeding) op uw bankrekening. De factormaatschappij kan per debiteur limieten afgeven waarbinnen u als ondernemer mag leveren.

Ondernemers in het MKB staan nogal eens huiverig tegenover de factoring, mede omdat men denkt dat factoring een kostbare aangelegenheid is. Aan de andere kant dient u wel te beseffen dat de factormaatschappij gemiddeld genomen 80% tot 90% van de uitstaande debiteuren als voorschot aan u uitbetaalt. Dat is veel meer dan banken u gemiddeld genomen willen financieren. Hierdoor is factoring van debiteuren zeer geschikt als u snel groeit; de omvang van de financiering groeit immers mee met de omvang van de debiteurenportefeuille.

Het is dus zeker aan te bevelen om de mogelijkheden van factoring te onderzoeken als u te maken krijgt met financiering van het werkkapitaal dat u nodig heeft.

Leasing

Wilt u een bedrijfsmiddel aanschaffen maar krijgt u daarvoor geen krediet van de bank, onderzoekt u dan de mogelijkheden van leasing. Bij leasing krijgt u de mogelijkheid om tegen een vooraf overeengekomen bedrag gebruik te maken van het bedrijfsmiddel dat u aanschaft. Er zijn twee mogelijkheden als het om leasen gaat: operational lease en financial lease.

Operational lease
Bij operational lease blijft de leasemaatschappij eigenaar van het bedrijfsmiddel. U krijgt als ondernemer het gebruiksrecht en betaalt daarvoor een vaste vergoeding. De onderhoudskosten die samenhangen met het gebruik van het bedrijfsmiddel komen ten laste van de leasemaatschappij. De dagelijkse gebruikskosten komen ten laste van de gebruiker.

Na afloop van de leaseovereenkomst heeft u soms de mogelijkheid om het bedrijfsmiddel tegen een, eventueel vooraf, overeengekomen prijs te kopen.

> Bekende voorbeelden van operational lease zijn het leasen van een vervoermiddel, kopieermachines of computers. Het voordeel van operational lease is dat u geen extern kapitaal hoeft aan te trekken voor de aanschaf van het bedrijfsmiddel. Dit is weer gunstig voor uw solvabiliteit doordat uw balans kort blijft (zie hoofdstuk 4).

Financial lease
Bij financial lease wordt de leasemaatschappij juridisch eigenaar van het bedrijfsmiddel dat u wilt gebruiken. Na afloop van de leaseovereenkomst kunt u het bedrijfsmiddel direct of tegen een symbolisch bedrag overnemen van de leasemaatschappij. U betaalt aan de leasemaatschappij een vast bedrag aan rente en aflossing. Alle overige kosten komen voor uw rekening. Het grote verschil tussen operational lease en financial lease is dus het feit dat u bij operational lease geen economisch eigenaar wordt en bij financial lease wel.

> Financial lease wordt vooral gebruikt door ondernemers om de aanschaf van bedrijfs-middelen te financieren, waarvan de economische levensduur langer is dan de afschrij-vingstermijn. Met andere woorden: u maakt langer gebruik van het bedrijfsmiddel dan dat u bezig bent met het betalen van rente- en aflossing. Denkt u bijvoorbeeld aan de aanschaf van vrachtauto's, machines en infrastructuur. Indien u gebruikmaakt van financial lease, wordt uw balans wel 'langer' doordat u zowel het bedrijfsmiddel als de betalingsverplichting (de lening) op de balans op dient te nemen. Voordeel van financial lease is dat u meestal een 100% financiering krijgt voor het bedrijfsmiddel dat u wilt aanschaffen, terwijl u bij een regulier bancair krediet slechts 70% tot 90% van de aanschafwaarde gefinancierd krijgt.

Leverancierskrediet
Voor de financiering van uw voorraden kunt u in veel gevallen gebruikmaken van leverancierskrediet. Als u gebruikmaakt van leverancierskrediet, geeft de

leverancier u het recht om de geleverde goederen en diensten op een later moment dan de leveringsdatum te betalen. Het aantal dagen dat u leverancierskrediet krijgt is sterk afhankelijk van de omloopsnelheid van uw voorraad. Maar in de regel is 90 dagen wel het maximumaantal dagen dat een leverancier krediet wil verstrekken. Vaak zal de leverancier wel een eigendomsvoorbehoud maken als deze u leverancierskrediet verstrekt. Dat houdt in dat de geleverde goederen eigendom blijven van de leverancier totdat betaling heeft plaatsgevonden. Daarnaast hanteren veel leveranciers een maximumbedrag waarvoor zij u krediet willen verlenen. Als een leverancier u krediet verstrekt voor langere termijn, dan wordt meestal een rentevergoeding berekend.

Leverancierskrediet is een aantrekkelijke vorm van financieren, omdat u zodoende de mogelijkheid heeft om goederen te verkopen, voordat u de leverancier hoeft te betalen. Hierdoor vermindert u uw kredietbehoefte bij de bank aanzienlijk. Een voorbeeld ter verduidelijking. Stel, u heeft een installatiebedrijf, met enige regelmaat betrekt u goederen van de groothandel die u vervolgens weer gebruikt bij de uitvoering van opdrachten. Met de groothandel bent u overeengekomen dat u 90 dagen na levering van de goederen dient te betalen. U factureert iedere maand uw onderhanden werk, gemiddeld wordt deze factuur na 60 dagen betaald. Dat betekent dat het moment van klantbetaling en leveranciersbetaling nagenoeg gelijk vallen. U hoeft dus uw voorraden niet voor te financieren. De reden dat leveranciers bereid zijn om u krediet te verschaffen heeft alles te maken met de omstandigheid dat men op deze wijze verzekerd is van afzetkanalen.

Meestal sluiten leveranciers die krediet verstrekken een kredietverzekering. Voor u betekent dit wel dat u bij overschrijding van de betalingstermijn of de kredietlimiet te maken kunt krijgen met een leveringsstop, of alleen geleverd krijgt tegen contante betaling.

Mezzaninefinanciering

Een mezzaninefinanciering is een risicodragende lening. Dat betekent dat er voor deze lening geen zekerheden worden verstrekt door de ondernemer. De zogenaamde 'expected loss' is door het ontbreken van zekerheden bij een mezzaninefinanciering veel hoger dan bij een regulier bankkrediet. Reden waarom in de kredietvergoeding een forse risciopremie, soms wel tot drie keer het normale tarief, wordt berekend. Daarnaast zal degene die een mezzaninefinanciering verschaft meestal bepalen dat hij in geval van verkoop een vooraf afgesproken percentage van het aandelenkapitaal krijgt tegen een eveneens vooraf afgesproken prijs. Mezzaninefinancieringen worden verstrekt door banken, informal investors of participatiemaatschappijen. De verwachting is dat ondernemers in het

MKB steeds vaker een beroep zullen doen op mezzaninefinancieringen. Een voorbeeld ter verduidelijking:

> TechIn is een organisatie die regelmatig technische innovaties realiseert. De afgelopen twee jaar heeft TechIn verlies geleden en is de solvabiliteit gedaald tot 5%. Reden voor de bank om aan te geven dat zij een nieuwe technische innovatie die TechIn wil ontwikkelen niet kan financieren. De bank brengt TechIn in contact met een particuliere investeerder die bereid is om TechIn een risicodragende lening te verstrekken tegen een rentepercentage van 14%, daarnaast bedingt deze particuliere investeerder dat hij in geval van verkoop van het innovatieve concept aan een andere onderneming 20% van de opbrengst krijgt. TechIn gaat akkoord met deze voorwaarden, omdat ze denkt dat het innovatieve concept binnen twee jaar te realiseren is en dan voldoende kasstroom oplevert om de particuliere investeerder af te lossen.

Crowdfunding

Mocht u echt niemand kunnen vinden die uw plannen wil financieren en bent u ervan overtuigd dat uw plan toch echt de oplossing voor een gat in de markt is, dan kunt u besluiten om uw plannen via social media te delen met anderen en mensen die in uw idee geloven te vragen uw financieel te ondersteunen door middel van een gift, een vooraankoop, een achtergestelde lening of een aandeel in uw bedrijf. Als u op deze manier uw ondernemingsplannen financiert, dan heet dat crowdfunding. De crowd (dat zijn de mensen die op internet actief zijn) funden (zorgen voor geld) om uw plannen te realiseren.

> Sommige ondernemers zijn zeer succesvol met crowdfunding. Crowdfunding wordt veel toegepast door ondernemers in de creatieve sector die een cd of een film willen maken. Om hun plannen te kunnen realiseren hebben ze geld nodig. Geld dat vaak niet wordt verstrekt door de bank vanwege het hoge risico op default. Door van veel mensen een klein bedrag te vragen voor de realisatie van het plan en te beloven dat men bij een eventueel succes meedeelt en omdat het risicio van wanbetaling met een groot aantal mensen wordt gedeeld, is een eventueel verlies voor ieder individu die leent of investeert relatief laag.

Drie recente initiatieven met betrekking tot crowdfunding zijn: KapitaalPlaza.nl dat zich richt op crowdfunding voor grotere kredieten waarbij investeerders vanaf € 50 000 inleggen (hierdoor is er geen verplichting tot het opmaken van een prospectus). Een ander initiatief is SymBid, dit richt zich op crowdfunding voor kleine bedrijven. Investeerders kunnen hier vanaf € 25 instappen. Een laatste initiatief betreft www.geldvoorelkaar.nl. De verwachting is dat het belang van crowdfunding de komende jaren fors zal toenemen.

Zelf uw kredietbehoefte verminderen

Natuurlijk heeft u als ondernemer zelf ook nog een aantal mogelijkheden om uw kredietbehoefte te verminderen. Met name het verlagen van uw werkkapitaal is hiervoor een uitstekend middel. U verlaagt uw werkkapitaal door:
- het zo laag mogelijk houden van uw voorraden. Voorraden leggen vaak ongemerkt een behoorlijk beslag op uw liquiditeit. Zorg voor een hoge omloopsnelheid van uw voorraden en verkoop incourante voorraden of voorraden die u niet meer nodig heeft;
- houd de betalingstermijn van uw debiteuren goed in de gaten en stimuleer debiteuren snel te betalen. Dit laatste doet u door uw debiteuren een betalingskorting aan te bieden als ze binnen vijf of acht dagen betalen. Heeft een debiteur na de overeengekomen betalingstermijn nog niet betaald, belt u dan direct op, dat is veel effectiever dan het sturen van een aanmaning. Daarnaast kunt u het betalingsgedrag van uw debiteuren stimuleren door hen de mogelijkheid van automatische incasso of een digitale acceptgiro aan te bieden;
- keer geen of minder dividend uit, of beperk uw privé-opnamen. Banken zijn erg gevoelig voor ondernemers die meer geld dan nodig ten behoeve van privé aan de onderneming onttrekken. Zorg er dus voor dat u uw privébestedingen managet;
- praat met de bank over aanpassing van de aflossingstermijnen. Als u bestaande leningen over een langere periode mag aflossen dan oorspronkelijk overeengekomen, houdt u geld over voor andere zaken.
- heeft u privé veel geld of bezittingen, dan kunt u besluiten een deel van deze bezittingen te verkopen en de opbrengstwaarde in uw bedrijf te storten.

Sparen
Gaat het u nu of in de toekomst voor de wind, spaar uw overtollige liquiditeiten dan op een bedrijfsspaarrekening. Hierdoor bent u minder afhankelijk van de bank wanneer u geld nodig heeft voor het doen van nieuwe investeringen of in geval van saneringen. Let u er in dit geval wel op dat u, wanneer het om grotere bedragen gaat of om een langere looptijd met de bank, onderhandelt over het rentepercentage dat u als vergoeding krijgt.

6 Het laatste hoofdstuk

In de vorige hoofdstukken heeft u kunnen lezen hoe u als ondernemer in staat bent om zelf uw krediet te managen. In dit hoofdstuk geven wij u nog een aantal tips waarmee u uw voordeel kunt doen in het geval u krediet aanvraagt of wilt behouden.

Do's en don'ts bij het onderhandelen

Als u met de bank in gesprek gaat over uw krediet, zet dan altijd in op het gezamenlijke belang. Zowel u als ondernemer als de bank hebben er alle belang bij dat uw plannen lukken. Alleen kijkt de bank daar vanuit een ander perspectief naar dan u. Het heeft dan ook geen zin om de bankmedewerker te proberen te overtuigen dat hij of de 'computer' het helemaal verkeerd ziet. Vraagt u liever aan de bankmedewerker onder welke voorwaarden men wel bereid is om u krediet te verstrekken.

Als u onderhandelt over de kosten van het krediet, bespreekt u dan vooral de mogelijkheden om uw risico op default en uw expected loss te verminderen, dat levert u en de bank uiteindelijk het meeste voordeel op.

Houd uw emoties in de hand: uit geen dreigementen. Door het uiten van dreigementen bevestigt u het oordeel van de bank dat hun beslissing toch de juiste was. Hoe begrijpelijk uw boosheid misschien ook is, de bankmedewerker heeft bijna nooit de mogelijkheid om een eenmaal genomen beslissing terug te draaien. Ga ook niet schelden en het gebruik van zinnen als: 'Jullie maken de ondernemer kapot' of 'Als bank moet je risico's nemen en mij dus financieren' maken uw zaak ook niet sterker. Evengoed vermijdt u opmerkingen als: 'Door die bonuscultuur van jullie krijg ik nu geen geld van jullie'. Kortom, neemt de bank een beslissing waar u het niet mee eens bent, accepteer de beslissing en ga op zoek naar een alternatief in de vorm van een beter onderbouwde kredietaanvraag of vind een andere financier.

Heeft u te maken met een bankmedewerker die zelf onvoldoende inhoudelijke kennis van zaken heeft, vraagt u dan rustig om iemand anders. De bank is een groot bedrijf waarbinnen een veelvoud aan medewerkers met verschillende expertises werkzaam is. De kans dat u niet direct de juiste persoon treft is reëel en u kunt dat maar beter direct benoemen, zodat u voorkomt dat u beiden kostbare tijd verspilt.

Tips

Informeer de medewerker bij de bank als zich bijzondere zaken voordoen. Dat kunnen succesvolle gebeurtenissen zijn, zoals het binnenhalen van een grote order, maar ook minder leuke gebeurtenissen als het faillissement van een grote debiteur. Op deze wijze houdt de medewerker feeling met uw onderneming.

Zorg bij kredieten van grotere omvang steeds voor recente (eventueel voorlopige) jaarcijfers en indien van belang kwartaal-/halfjaarcijfers. Heb als ondernemer een visie op de ontwikkeling van deze cijfers. De bank gebruikt deze namelijk voor de financiële analyse en onderbouwing van uw aanvraag.

Manage de verwachtingen met de bank over en weer. Maak dus steeds duidelijke afspraken wie wat en wanneer doet. Doe dit na elk gesprek met de bankmedewerker. En houd elkaar hier ook aan. Dit voorkomt onnodige wacht- en doorlooptijden en scheelt de nodige irritatie.

Doe zo veel mogelijk zaken met dezelfde bank. Hierdoor neemt de kans voor de bank op een beter rendement op uw kredietportefeuille toe en dat levert u uiteindelijk weer gunstiger kredietvoorwaarden op. De bank verdient niet alleen geld door rente aan u te berekenen, maar verdient ook geld aan het betalingsverkeer dat u via de bank laat lopen, het gebruik van uw pinpas en uw creditcard. Hoe meer u als ondernemer met de bank doet, des te aantrekkelijker het voor de bank is om u als klant in portefeuille te houden.

Momenteel worden alle gegevens die u aanlevert bij de bank nog overgetypt door een bankmedewerker. Hierdoor is er een grote kans op fouten en die kunnen ook nadelig uitpakken voor u als ondernemer. Daarnaast kost het overtypen van al die gegevens ook veel tijd en dus geld en dat betaalt u als ondernemer.
Lever gevraagde informatie in XBRL/SBR-formaat in bij de bank. XBRL/SBR is een wereldwijde informatiestandaard die ook in Nederland steeds vaker wordt gebruikt. Door gebruik van deze standaard kan informatie sneller worden verwerkt. De banken willen dat in 2013 meer dan 80% van de door de

ondernemers aangeleverde informatie gedaan wordt in XBRL/SBR-formaat. De voordelen van het gebruik van XBRL/SBR zijn:

- minder administratieve rompslomp, lagere kosten;
- meer digitaal in plaats van papier;
- afgesproken gegevens in één keer aanleveren;
- kortere doorlooptijd bij een kredietaanvraag;
- betere risico-inschatting;
- meer differentiatie in hoogte en prijs van krediet.

Bespreekt u overigens nadrukkelijk met uw accountant of boekhouder uw wens tot het aanleveren van de jaarrekening in XBRL/SBR-formaat. De gegevens die de bank nodig heeft voor de kredietrapportage omvatten meer informatie dan nu in de jaarrekening wordt opgenomen. Dat houdt in dat het eerste jaar dat u uw jaarrekening in XBRL/SBR-formaat aanlevert, uw accountant of boekhouder de nodige extra informatie zal moeten verzamelen. Levert u de gevraagde gegevens niet of onvolledig aan in XBRL/SBR-formaat, dan kan dat gevolgen hebben voor uw rating en de hoogte van de kredietvergoeding die u aan de bank betaalt.

Wilt u meer weten over XBRL/SBR, gaat u dan naar de website www.rapporta-geportaal.nl.

Softwarematige ondersteuning

Als u een prognose maakt ter onderbouwing van uw financieringsaanvraag, dan kunt u deze natuurlijk prima in een rekenprogramma als Excel maken. Worden de berekeningen echter wat complexer, dan kan het verstandig zijn om gebruik te maken van speciale software. Deze software berekent onder andere wat uw liquiditeitsbehoefte is om uw plannen te realiseren.

Pakketten die in de kleinere MKB-praktijk veel worden gebruikt zijn:
- Visionplanner (www.visionplanner.nl)
- Finforce (www.finforce.nl)
- Prognosesoftware van digitale professionals (www.financieel-ondernemen.nl)

Voor de grotere MKB-praktijk wordt naast eerder genoemde pakketten ook veel gebruik gemaakt van:
- Finan Analyzer (www.finan.nl)

Ondersteuning door adviseurs

Veel ondernemers laten zich ondersteunen bij het maken van een ondernemingsplan of een financieringsaanvraag. Dat kan een accountantskantoor, een administratiekantoor of een kredietadviseur zijn. Maakt u gebruik van de diensten van derden, dan zijn de volgende zaken van belang.

Een adviseur zal nooit uw ondernemingsplan schrijven, hij zal alleen aangeven op welke wijze u uw plannen beter kunt onderbouwen. Komt u een adviseur tegen die toch uw ondernemingsplan wil schrijven, ga daar dan niet mee in zee. Banken willen een plan dat door u is geschreven, niet door een adviseur. Natuurlijk kan een adviseur de financiële paragraaf in uw ondernemingsplan of de financieringsaanvraag wel maken, maar dat dient deze alleen te doen op basis van door u aangeleverde informatie. Ook hier zijn banken erg kritisch op. Een ander aandachtspunt verdient het feit dat de nodige accountants en administrateurs onvoldoende op de hoogte zijn van ratingmodellen die de banken hanteren. Informeer hier dus naar voordat u hen inschakelt. Aan de andere kant geldt weer dat banken wel belang hechten aan de jaarrekeningen en tussentijdse rapportages die accountants en administrateurs aanleveren. Banken hechten hier meer belang aan, omdat deze rapportages onafhankelijk zijn opgesteld. In een groot aantal gevallen zal de bank dan ook opnemen in de kredietvoorwaarden dat een accountant jaarlijks een rapportage dient op te stellen.

Daarnaast zijn er nog onafhankelijke kredietadviseurs die u kunt inschakelen. Sommige kredietadviseurs zijn volledig zelfstandig, andere zijn aangesloten bij een organisatie zoals Credion (www.credion.nl). In veel gevallen zijn deze kredietadviseurs wel op de hoogte van de wijze waarop zij uw rating positief kunnen beïnvloeden. Aan de andere kant zijn er de nodige kredietadviseurs die alleen de krenten uit de pap pikken en zich inspannen voor kredietaanvragen die banken zeker zullen honoreren. Sinds kort is er ook de MKB-kredietcoach, deze organisatie zorgt ervoor dat ondernemers zelf in staat zijn hun krediet te managen, daarnaast ondersteunen ze de ondernemer in de onderhandelingen met de bank.

Kortom, het inschakelen van een accountant of adviseur kan raadzaam zijn, maar overtuigt u zich er dan wel van dat de adviseur goed op de hoogte is van de wijze waarop banken kredieten beoordelen.

Zelftest

Tot slot een zelftest die u inzicht geeft in de huidige kredietwaardigheid van uw bedrijf en de wijze waarop u zelf uw huidige krediet managet. Aan de hand van de uitslag kunt u vervolgens zelf bepalen of u mogelijk behoefte aan ondersteuning heeft.

Geef per vraag aan wat het meest op u van toepassing is:

1. Ik overschrijd met enige regelmaat mijn kredietlimiet bij de bank
   A: Nooit
   B: Eens in het halfjaar
   C: Eens in het kwartaal
   D: Eens per twee maanden
   E: Maandelijks

2. De financiële resultaten van mijn bedrijf weet ik:
   A: Dagelijks
   B: Maandelijks
   C: Ieder kwartaal
   D: Eens per halfjaar
   E: Eens per jaar

3. Mijn bedrijfsplan heb ik voor het laatst geactualiseerd:
   A: Gisteren
   B: Een maand geleden
   C: Een kwartaal geleden
   D: Een halfjaar geleden
   E: Een jaar of langer geleden

4. Ik pieker regelmatig over de toekomst van mijn bedrijf
   A: Nooit
   B: Dagelijks
   C: Wekelijks
   D: Maandelijks
   E: Een keer per kwartaal of minder

5. Ik bespreek regelmatig de financiële resultaten van mijn bedrijf
   A: Nooit
   B: Maandelijks
   C: Een keer per kwartaal
   D: Een keer per halfjaar
   E: Ieder jaar

6. Als ondernemer vraag ik advies aan anderen
   A: Nooit
   B: Dagelijks
   C: Wekelijks
   D: Maandelijks
   E: Een keer per kwartaal of minder

7. De solvabiliteit van mijn bedrijf bedraagt:
   A: 30% of meer
   B: tussen de 30 en 20%
   C: tussen de 10 en 20%
   D: minder dan 10%
   E: negatief of onbekend

8. Ik weet hoe groot het mijn marktaandeel van mijn bedrijf is
   A: Nee
   B: Bij benadering
   C: Ja, ik heb dit onderzocht
   D: Is niet nodig, de markt is groot genoeg
   E: Een goede ondernemer kan zonder deze informatie

9. Ik ben ondernemer omdat
   A: Het in mijn bloed zit
   B: Ik geen baan kon vinden
   C: Wegens aantoonbare ondernemerskwaliteiten
   D: Vanwege de vrijheid
   E: Ik altijd conflicten met mijn baas had

10. Het feit dat ik lastiger aan krediet kom ligt aan:
    A: De bank
    B: De markt
    C: De klant
    D: Mijn leveranciers
    E: Mijzelf

Bereken met behulp van de hierna volgende scoretabel hoeveel punten u in totaal heeft gescoord.

Vraag	A	B	C	D	E
1	1	2	4	5	8
2	1	2	3	4	5
3	1	2	3	4	6
4	1	8	6	4	2
5	8	1	2	3	4
6	8	2	1	3	5
7	1	2	3	6	8
8	5	3	1	6	8
9	1	6	2	4	8
10	5	3	2	4	1

Het totaal aantal punten dat u heeft gehaald, kunt u vervolgens als volgt interpreteren:

12 punten of minder: Als ondernemer heeft u uw kredietwaardigheid goed in de hand. U weet wat er van u als ondernemer verwacht wordt en u heeft zelden te maken met verrassingen op financieel gebied.

12 – 25 punten: Als ondernemer weet u dat het in de hand houden van uw kredietwaardigheid belangrijk is. Soms wordt u verrast door een gebeurtenis die gevolgen heeft voor de financiële resultaten. Wellicht dat meer overleg er voor kan zorgen dat u meer grip krijgt op uw financiële resultaten.

25 – 40 punten: Als ondernemer heeft u niet altijd grip op de kredietwaardigheid van uw onderneming. Hoewel uw kredietwaardigheid op korte termijn niet direct gevaar loopt, is het belangrijk dat u meer aandacht besteedt aan de toekomstige positie van uw onderneming.

41 – 55 punten: Als ondernemer heeft u regelmatig geen grip meer op de kredietwaardigheid van uw onderneming. Als u geen actie onderneemt, loopt u het risico dat het voortbestaan van uw onderneming in het geding komt.

55 punten of meer: Als ondernemer bent u de grip op uw kredietwaardigheid nagenoeg kwijt. U dient acuut aan de slag te gaan met een overlevingsplan voor uw onderneming.